Meindert DeJong
Das Pferd, das im Sturm kam

Meindert DeJong

Das Pferd, das im Sturm kam

Boje-Verlag Stuttgart

Aus dem Amerikanischen übertragen von Irmela Brender
Titel der Originalausgabe: A Horse Came Running
Erschienen bei The Macmillan Company, New York
© Copyright Meindert DeJong, 1970
© Copyright The Macmillan Company, 1970

1. Auflage 1972
Alle deutschsprachigen Rechte beim Boje-Verlag, Stuttgart
Gesamtherstellung: Union Druckerei GmbH Stuttgart
Umschlag und Innenbilder: Erich Hölle
Printed in Germany
ISBN 3 414 12190 5

INHALT

WETTLAUF MIT DEM ZUG

Zwei Pferde standen an ihrem Weidezaun. Der alte Hengst wartete. Die junge Stute, noch neu hier, wollte nur in seiner Nähe sein. Der alte Hengst schien zu dem großen weißen Haus am Rande der Weide hinüberzuschauen. Doch in Wirklichkeit beobachtete er den Hügel dahinter, über den der Abendzug kommen mußte. Er stampfte und schlug mit dem Schweif. Ungeduldig wartete er auf den Beginn des Wettlaufs, den er zweimal täglich mit dem Zug austrug.

Die neue Stute kam näher, als wollte sie ihren Hals über seinen legen. Doch als wäre das zuviel Vertraulichkeit, wandte sie sich gleich wieder ab und legte statt dessen den Hals auf einen Zaunpfahl. Sie starrte über die Gleise auf eine hohe Baumgruppe, aber sie sah nichts. Sie wartete nur auf ein Zeichen des alten Hengstes. Dann würde sie wie am Morgen und wie gestern – ihrem ersten Tag hier – leichtfüßig neben dem schnaubenden alten Pferd und dem schnaufenden, schwer beladenen Zug herlaufen.

Sie wußte, daß sie erst kurz vor dem Zaun am Ende der Weide anhalten würden. Der Zug würde dann unaufhaltsam weitereilen, und sie würden weitergrasen, Seite an Seite – das war alles, was das neue Pferd in seinem schweren Heimweh brauchte oder wünschte.

Der Spätnachmittag wirkte so traurig und träge wie das neue Pferd. Es war seltsam drückend und dumpf, und in dieser Dumpfheit lag eine stille Drohung.

Ein Schwarm zwitschernder kleiner Vögel flog über die Weide, kurvte tief über die Pferde und verschwand im Gehölz jenseits der Gleise. Ein paar Augenblicke lang zitterte das volle Laub der Bäume, in dem sich die Vögel verbargen. Dann schwiegen auch die Vögel, als wären sie zur Ruhe gegangen, als käme die Nacht am späten Nachmittag.

In dieser Stille hörte der alte Hengst Eisenbahngeräusche. Doch sie waren zu entfernt und zu schwach, um ihn in Bewegung zu setzen. Sein schwarzer Besenschwanz hing steif und still. Das war der elektrisierende Moment, bevor der Zug um den Hügel bog — die atemlose Pause vor der jähen Wendung und dem heftigen Wettkampf entlang dem Weidezaun. Das andere Pferd war noch zu neu und fremd, als daß es die Zuggeräusche deutlich wahrgenommen hätte; es starrte weiter auf die Bäume mit den kleinen Vögeln.

Dann ertönte ein Brausen — wie das Brausen von hundert jagenden Eisenbahnen. Doch kein Zug erschien. Statt dessen erhob sich über dem fernen Hügel eine schwarze, zuckende, trichterförmige Wolke. Sie kam näher, sie schwoll, sie dehnte ihr großes böses Maul — um alles in der hilflosen Landschaft zu verschlingen. In weißäugigem Entsetzen stoben die Pferde vor ihr her.

Weit hinter den Pferden wurde die Tür des großen weißen Hauses aufgerissen. Ein Mann hastete die Treppe herunter und rief zurück ins Haus: „Komm, Lin! Wir müssen dein neues Pferd einfangen. Es ist scheu, und wenn der Wirbelsturm wirklich in diese Richtung kommt, dann —"

Ein junges Mädchen eilte auf die Veranda. „Vater! Im Radio heißt es, er kommt hierher! Wir haben keine Zeit, um —". Sie wirbelte herum, als sie das Brausen hinter sich hörte. „Er ist hier, er ist hier!" schrie sie, deutete nach oben und stürzte ins Haus zurück.

Der Mann wandte sich um und sah, wie sich der schwarze Trichter auf sein Haus senkte. Mit einem Satz sprang er die Treppe hoch, rannte ins Haus, packte das Mädchen an der Hand

und floh mit ihr ins Freie. „Im Stall ist es sicherer", schrie er im Laufen. „Leg dich flach auf den Boden!" Er stieß sie hinein und schlug die Stalltür zu.

Der wirbelnde Trichter senkte sich, umfaßte das große weiße Haus, saugte es hoch und stieg mit ihm hinauf in die Lüfte. Das Stöhnen des berstenden Hauses in dem schwarzen Schlund ging im allgemeinen Toben und Schrecken unter. Der Tornado hatte das Haus von seinen Grundmauern gehoben, doch der Stall stand unberührt hinter dem Haus unter ein paar Bäumen.

Als sich der Wirbelsturm jetzt hob, war es, als sähe er die rasenden Pferde am Ende der Weide. Wieder stieß er herab und schleuderte dabei einen Dachbalken, einen zertrümmerten Herd, Betten, Tische und einen weißen Kühlschrank aus seinem Schlund. Die Dinge zerschmetterten oder bohrten sich in die Erde und übersäten mit ihren Trümmern die Weide.

Wieder fiel der Sturm über sie her, und die Pferde konnten in ihrem Bemühen, zu entkommen, nur verzweifelt vor- und zurückspringen. Der alte Hengst wieherte und wollte durch den Zaun brechen, doch der starke Draht warf ihn zurück, und er stürzte zu Boden. Die junge Stute machte kehrt und rannte in panischer Angst davon, während der Tornado das alte Pferd verschlang. Hinter ihr flogen Teile des Zauns in die Luft. Schnaubend vor Furcht jagte sie den sich auflösenden Zaun entlang. Plötzlich berührten ihre Füße nicht mehr den Boden. Auch sie wurde in die Luft geschleudert, mit schlagenden Hufen und stampfenden Beinen geriet sie in den äußeren Rand des Sogs. Dann änderte der Sturm seine Richtung, ließ sie fallen und brauste von der Weide weg, dem Gehölz jenseits der Gleise zu.

Die junge Stute landete auf allen Vieren, stolperte ein paar Schritte und stand dann benommen vor Schreck, während der Tornado mit seinem Schweif die Bäume der kleinen Vögel peitschte. Vor den Augen der Stute begannen die großen Bäume zu ächzen und sich aus dem Boden zu winden. Sie stöhnten auf, schüttelten sich einen Augenblick lang und stürzten dann mit den Zweigen voran auf einen wirren Haufen. Gleich dahinter ließ der Wirbelsturm den alten Hengst fallen. Auch er lag umgedreht und schrecklich still da.

Da wich die junge Stute vor dem geisterhaften Anblick des toten Pferdes und der riesigen Wurzeln, die bleich in den Himmel griffen, zurück, als hätte sie gerade entdeckt, daß sie sich bewegen konnte. Weiter entfernt tauchte der Wirbelsturm in einen Wassergraben und tobte dort unsichtbar wie ein brüllender, idiotischer Riese. Nach langen Sekunden stieg er hoch in die Luft und entfernte sich.

Mit einem Schnauben kam die Stute aus ihrem Schock wieder zu sich, wandte sich um und raste auf den Stall los. Irgendwie fand sie einen Weg durch die Trümmer, die der Tornado über die Weide verstreut hatte, doch vor den Grundmauern des verschwundenen weißen Hauses hielt sie jäh und zitternd an. Sie starrte entsetzt auf die nackten, seltsamen Wände, und statt sich dem sicheren Stall zuzuwenden, jagte sie davon.

Dabei sprang sie über einen weißen Kühlschrank, der zerschmettert vor ihr lag. Der Sprung gelang, doch ein messerscharfes Metallstück der herausgeschleuderten Tür schnitt ihr in die Fessel. Toll vor Schmerz brach sie durch ein Gebüsch im Vorgarten, in dessen Zweigen ein Frauenkleid hing. Der dünne Stoff wickelte sich um ihr Bein und klebte an dem dicken Blut fest, das aus der Wunde floß. Vergeblich stampfte und bockte sie wild.

Da sie sich von dem wehenden Stoff nicht befreien konnte, galoppierte sie blindlings davon. Zufällig nahm sie den Weg, den der Tornado gekommen war – einen Weg der Zerstörung, auf dem alles niedergemäht und weggefegt war. Schließlich überquerte sie eine Asphaltstraße, auf der sie gerade weiterlaufen wollte, als ein Wassertrog, der einmal zu einem Bauernhof gehört hatte, aus einem Baumwipfel rutschte und vor ihr krachend auf den Boden schlug.

Mit rollenden Augen und geblähten Nüstern folgte die Stute weiter dem Weg des Wirbelsturms. Sie lief und lief, ohne ihre Erschöpfung zu merken, bis sie an einen steilen Hang kam. Als spürte sie erst jetzt ihr verletztes Bein, hielt sie plötzlich an und lahmte dann langsam den Hang hinauf. Dort stand sie wieder still und schaute sich um. Weit jenseits der Felder sah sie eine unbeschädigte Scheune, deren große Wagentore offen standen. Sie ging darauf zu.

Auf ihrem Weg durch die Felder kam sie an eine Senke am Rande eines Wäldchens. In der Senke lagen noch mehr entwurzelte Bäume – und auch dort lag ein Pferd. Ein altes weißes Pferd. Aber dieses Pferd war nicht tot. Dieses Pferd stand auf seinen Füßen, im Gewirr der Bäume gefangen.

Schritt um Schritt wich sie zurück vor dem weißen Pferd und den weißen Wurzeln, die in den Himmel zeigten. Endlich konnte sie sich umwenden, doch statt auf die Scheune mit den weit geöffneten Toren zuzugehen, bog sie in unbeholfenem Trott um die Senke und erreichte schließlich das kleine Gehölz.

In dem Wäldchen war es ruhig, alles stand aufrecht und unversehrt. Die Stute trat zwischen die stillen Bäume. Das alte Pferd in der Senke wieherte klagend hinter ihr her, doch sie antwortete nicht – es schien, als hörte sie nichts. Sie trottete weiter in die Dunkelheit unter den sicheren, starken Bäumen.

Sie kam an einen kleinen Bach und geriet hinein, ohne ihn zu sehen. Die plötzliche Kühle des Wassers ließ sie erstarren. Sie stand da und zitterte. Das Pferd in der Senke wieherte wieder, aber sie antwortete nicht. Sie stand in der schützenden Dunkelheit – und der Bach raunte ihr sanfte, blubbernde Laute zu.

Schließlich schüttelte sie sich schnaubend und tauchte ihre Lippen ins kühle, fließende Wasser. Dabei bemerkte sie die Reste des Kleides, die um ihr Bein gewickelt waren. Sie berührte ihre nasse, verletzte Fessel mit dem Mund und roch Blut. Da warf sie den Kopf zurück und versuchte nicht mehr zu trinken.

Das Pferd in der Senke war jetzt verstummt. Das Pferd im Bach stand erstarrt wie eine Statue. Der Bach murmelte beruhigend, und um ihre vier unbeweglichen Beine perlte das kühle Wasser.

BEVOR DER WIRBELSTURM KAM

Es war mittags bevor der Wirbelsturm kam. Im Hof fütterte Mark den alten Colonel mit Kartoffelschalen. Natürlich wußte Mark nicht, daß heute der Wirbelsturm kommen würde. Niemand wußte, daß spät am Nachmittag ein Tornado mit schwarzem Toben über die Hügel steigen und über die hilflose Landschaft herfallen würde.

Nein, dieser Mittag, als Mark bei Colonel saß, war ein Tag wie jeder andere, nur daß Colonel still in der Einfahrt zwischen Hof und Weide lag. Das alte Pferd hatte die ganze Nacht und den ganzen Tag zuvor dort gelegen.

Als Mark an diesem Morgen seiner Mutter zugeschaut hatte, wie sie Kartoffeln schälte für einen Salat, den sie zum Gemeindeabend bringen wollte, war ihm eingefallen, daß die Kartoffelschalen dem alten Pferd vielleicht die Kraft geben würden, wieder aufzustehen. Wenn Colonel erst einmal auf den Beinen war, konnte er Gras fressen und wieder zu Kräften kommen. Dann würden sie miteinander über die Weide gehen zu dem hohen Damm mit den Trompetenbäumen. Aus dem Damm ragte ein Wasserrohr, das von einer Quelle kam. Mark würde einen Eimer unter das Rohrende stellen und Colonel zu trinken geben. Dann konnte er weiterfressen und sich vielleicht auf den Beinen halten.

Aber an diesem Mittag war Colonel nicht einmal imstande, seinen Kopf zu heben, um die Schalen aus dem flachen Napf zu holen. Mark beobachtete ihn mutlos und versuchte dann, ein Stück Schale seitlich in Colonels Maul zu schieben. Und es ging! Colonel zog seine großen, gelben Zähne auseinander, kaute und schluckte!

Mark war so eifrig dabei, Colonel mit den Schalen zu füttern, daß er nicht hörte, wie sein Vater an der Scheune vorfuhr. Doch sein Vater sah ihn und rief: „Mark, was um alles in der Welt machst du denn?"

„Ich füttere nur Colonel", schrie Mark. „Er kann nicht aufstehen und Gras fressen."

Vater kam den Weg herunter. „Seit wann liegt er so?"

„Die ganze Nacht und gestern den ganzen Tag", sagte Mark. „So lang ist er noch nie still gelegen. Er kann nicht aufstehen. Ich habe gedacht, wenn ich ihn mit den Schalen füttere, bekommt er Kraft genug, um den Kopf zu heben. Dann kann ich ihn halten, wie ich es mache, wenn er sich hinlegt. Wenn man seinen Kopf festhält, kann er wieder auf die Beine kommen."

„Du hast seinen Kopf gehalten, damit er aufstehen kann?" fragte Vater erschrocken. „Mark, das ist gefährlich."

„O nein, Vater", erklärte Mark, „Colonel weiß, wie er es machen muß. Er schaut mich aus den Augenwinkeln an, damit ich ihm aus dem Weg gehe, weil er sich aufrichten will. Er taumelt immer ein bißchen, bis er richtig steht. Dann schaut er zurück und sagt mir, daß alles in Ordnung ist. Dann nehme ich die Leine an seinem Halfter, und wir gehen zur Quelle, damit er trinken kann. Danach ist er fest genug auf den Beinen, um Gras zu fressen. Manchmal hält er sich so gut, daß wir hinüber zum Wäldchen gehen. Dort kann er sich in den Bach stellen und seine Füße kühlen."

Vater stand da und schüttelte den Kopf. „Versprich mir", sagte er streng, „versprich mir, daß du das nie wieder tun wirst—

niemals. Zumindest nicht, wenn deine Mutter nicht dabei ist."

Mark schaute zu ihm auf, aber er versprach nichts. Vater verstand das nicht. Aber er und Colonel wußten Bescheid. Colonel gab immer acht auf ihn. Colonel war sein Freund.

Vater musterte Colonel und schüttelte den Kopf. „Anscheinend war ich so mit dem neuen Laden in Stanton beschäftigt, daß ich mich nicht viel darum gekümmert habe, was hier vorgeht. Ich hatte keine Ahnung, daß es mit dem alten Pferd so weit gekommen ist." Vater preßte die Lippen aufeinander. Schließlich sagte er: „Mark, das sollte dich nicht überraschen – du warst dabei, als ich diese Farm kaufte. Ich wollte nur das prächtige alte Haus, aber der Farmer dachte nicht daran, es zu verkaufen. Nein, ich mußte die ganze Farm nehmen und noch dazu das alte Pferd. Der alte Mann machte sich bereit, in ein Heim zu gehen, aber vorher wollte er wissen, daß für das alte Pferd gesorgt war. Du erinnerst dich doch bestimmt daran, nicht wahr?"

Und ob! Mark erinnerte sich an jedes Wort. „Nein, Sie können das Haus nur bekommen, wenn Sie auch die Farm und das Pferd nehmen", hatte der alte Mann Vater erklärt. „Es wird nicht mehr lange dauern mit ihm, aber es ist auf dieser Farm geboren und soll hier sterben. Das verdient es."

Nach diesen Worten des Farmers hatte Mark seinen Vater am Ärmel gezupft. „Vater! Vater! Bitte kauf es. Ich werde mich darum kümmern. Darf ich es haben – ja?"

Der Farmer hatte für Vater geantwortet. „Ja, mein Junge. Wenn dein Vater die Farm kauft, wird Colonel dir gehören. Sieh zu, daß er es gut bei dir hat."

„Bestimmt, ganz bestimmt", hatte Mark versprochen. Dann hatte er nicht mehr zugehört. Er war hinübergelaufen zu dem Pferd, das ihm gehören sollte. Der Mann hatte es gesagt!

Nun stand Vater da und schüttelte den Kopf und beugte sich herab, um Colonel von nah zu betrachten. „Weißt du noch, wie der alte Mann uns gesagt hat, es werde nicht mehr lange dauern mit Colonel? Jetzt geht es wirklich nicht mehr lange, Mark. Wir können uns nichts vormachen."

Mark stand auf und hielt sich kerzengerade. Man weint nicht vor seinem Vater — aber er hätte es gern getan. Vater sprach weiter.

„Verstehst du nicht, daß es grausam ist, Colonel so leben zu lassen? Wir haben dem alten Mann versprochen, dem Pferd die beste Pflege zu geben. Und das hier ist das schlimmste — daß es hier hungrig und durstig liegt und zu schwach ist, um aufzustehen. Ich werde zuerst in das Altersheim gehen und es dem alten Mann sagen, aber ich weiß, daß er mir zustimmen wird — es ist die einzige Möglichkeit. Mark, der Tierarzt wird Colonel aus seiner Qual erlösen, und es wird rasch und leicht gehen — es wird eine Gnade sein für den armen alten Kerl."

Mark schaute zu seinem Vater auf. Er konnte es nicht glauben. Wie konnten Erwachsene an Dinge glauben, nur weil sie ausgesprochen waren?

Wie konnte Vater das sagen?

Wie konnte er das glauben?

Warum wäre es eine Gnade — Colonel wäre dann tot, oder nicht?

„Mark, morgen hast du Geburtstag, nicht wahr?"

Mark nickte. Er wagte nicht zu sprechen, aus Angst zu weinen.

„Na, wie würde dir ein Pony gefallen?" Vater schaute über die Weide. „Welch ein Meer aus Gras! Vielleicht sollten wir uns einen Wal anschaffen — aber Wale können im Gras nicht so gut schwimmen. Na, wie wär's mit einem Pony?"

Er hatte Mühe, die Tränen zurückzuhalten, während Vater Späße machte, die nicht lustig waren. Er wollte kein Pony. Er hatte Colonel, und Colonel war sein Freund. Warum konnte Vater das nicht verstehen? Er schüttelte den Kopf.

„Nun ... vielleicht kann es deine Mutter dir besser erklären." Vater ging auf das Haus zu.

Nun konnte er nichts tun als sich wieder hinzuhocken und Colonel weiterzufüttern.

Endlich kam Vater aus dem Haus und ging zur Scheune. Er rief: „In Ordnung, Mark. Deine Mutter sagt, wir sollten Colonel noch ein bißchen Zeit lassen. Sie meint, vielleicht steht er zu deinem Geburtstag morgen auf. Wenn ich heute nachmittag dazukomme, kann ich mich mal nach einem jungen Pferd oder einem Pony umsehen. Wenn hier ein junges Pferd ist, will vielleicht auch Colonel wieder jung sein. Wer weiß ..."

„Vater! Vater!" schrie Mark. „Wenn es Colonel hilft, auf den Beinen zu bleiben, hätte ich zwei Pferde, und dann ..."

Aber Vater hatte den Motor anspringen lassen, und die ganze Scheune dröhnte von dem Lärm des Lastwagens. Colonel hob den Kopf bei dem plötzlichen Krach. Da konnte Mark nicht einfach dastehen und schreien – Colonel hatte den Kopf hoch, Colonel konnte trinken.

Mark rannte über die Weide und füllte einen Eimer an der Quelle. Als er zurückkam, hatte Colonel den Kopf noch hoch genug, um aus dem schräggekippten Eimer zu trinken. Das Wasser schwappte über, aber Colonel trank. Danach ging Mark an die Arbeit. In der Scheune fand er eine alte rostige Sichel und einen Korb. Er ging hinters Haus, wo das Gras im Schatten der aufgestützten Falltür zum Keller am grünsten und saftigsten war. Er schnitt, bis der Korb voll war, und trug ihn zu Colonel. Dann legte er das Gras in kleine Bündel und schob die Bündel zwischen Colonels Zähne in sein Maul. Colonels gelbe alte Zähne wurden grün vom Saft des zarten Grases. Sicher war es gut und voller Kraft. Es mußte Colonel wieder auf die Beine bringen – wenn nicht heute, dann morgen.

Als Mutter Mark zum Essen rief, lag Colonel immer noch da. Er hatte zwei Büschel Gras und die Kartoffelschalen gefressen, aber er hatte noch nicht einmal versucht aufzustehen. Vielleicht sparte er seine Kräfte, damit er morgen aufstehen konnte, aber es war nicht leicht, daran zu glauben. Darum war es auch nicht leicht, mit Mutter in der stillen Küche zu Mittag zu essen. Auch Mutter machte Spaß. Sie fragte: „Was wünschst du dir zum Geburtstag? Einen Scheffel Hafer für Colonel?"

Er war nicht zum Scherzen aufgelegt – aber einen Scheffel Hafer! In einem Scheffel Hafer mußten alle möglichen Kräfte stecken. Darum sagte er: „Ja, wenn du es ernst meinst – das hätte ich gern." Er mußte es langsam sagen, damit er nicht zu weinen anfing.

Doch Mutter antwortete: „Fein. Der Hafer wird zu deinen Geschenken gehören, ich werde ihn heute kaufen. Dein Vater hat den Lastwagen geholt und das Auto hier gelassen, also kann ich in die Stadt zum Einkaufen, und auf dem Heimweg werde ich bei der Mühle vorbeifahren und Hafer besorgen und vielleicht ein Stärkungsmittel – wenn es ein Stärkungsmittel für Pferde dort gibt. Aber wer hat eigentlich Geburtstag, du oder Colonel? Jedenfalls habe ich schon ein Geschenk für dein Pferd. Als ich die Kartoffeln für den Salat schälte, habe ich alle kleinen in winzige Stücke zerschnitten, damit Colonel sie ohne Mühe schlucken kann. Vielleicht bringst du sie ihm nach dem Essen."

Plötzlich bekam Mark Angst. Er hätte gern gefragt: Mutter, warum machst du Colonel Geschenke? Weißt du, daß er sterben wird? Aber das konnte er nicht fragen. Dann wäre es Wirklichkeit. „Darf ich hinausgehen und ihn jetzt füttern?" fragte er statt dessen.

„Ja, aber bleib nicht den ganzen Nachmittag bei Colonel. Spiel ein bißchen und laß ihn in Ruhe."

Er war fast an der Tür, als er den Eimer abstellte, zurücklief und seine Mutter stürmisch küßte. Dann versprach er: „Ich werde in dem Tunnel spielen, den ich in den Heuhaufen in der Scheune gegraben habe. Ich werde lange dort spielen."

Und das würde er auch tun. Es wäre eine Art Handel. Er würde Colonel füttern, vielleicht ihm noch etwas zu trinken geben und ihn dann in Ruhe lassen. Er würde nicht mogeln und nicht durch die Ritzen oben auf dem Heuboden schauen, ob Colonel etwa auf die Beine gekommen war. Er würde fast den ganzen Nachmittag spielen. Das wäre sein Teil des Handels. Und wenn er sein Teil leistete, würde Colonel leben. So mußte es sein.

„Mark", rief Mutter von der Küchentür, „füttere Colonel die Kartoffeln, aber erwarte nicht, daß sie sich sofort in Kraft verwandeln – das braucht Zeit. Geh spielen und laß Colonel nach den Kartoffeln ausruhen. Bis Vater nach Hause kommt, hat Colonel dann vielleicht genug Kraft, daß Vater und ich dir helfen können, ihn auf die Beine zu kriegen."

Das war ein wunderbarer Gedanke. Mark blieb stehen und schaute zurück, aber die Idee packte ihn zu sehr, als daß er hätte antworten können.

„Und Mark, dein Vater möchte, daß du zu dieser Ponnyfarm gehst und dir ansiehst, was sie haben. Er weiß nicht, wieviel sie kosten, aber ihm wäre es recht, wenn du ein Pony hättest. Denk mal beim Spielen darüber nach."

Mark nickte. Er gab keine Antwort, weil er keine wußte – er wollte nichts als Colonel. Er würde darüber nachdenken, aber später. „Bis nachher, Mutter, bis nachher", rief er und rannte zur Scheune.

DER HANDEL

Mark lag ausgestreckt in seinem neuen, halbfertigen Tunnel unter dem Heuhaufen in der Scheune. Er hatte mit dem Graben aufhören müssen, weil der feine Heustaub ihn zum Niesen reizte. Das Gesicht zwischen den Armen verborgen, wartete er auf das letzte Niesen, als sich die Frage zwischen seine Gedanken drängte – wie wäre das mit einem Pony? Ein Pony wäre so groß wie er. Auf einem Pony könnte er reiten. An einem Pony müßte er sich nicht hochhangeln wie an Colonel. Er bestieg Colonel nur, wenn das alte Pferd nicht lahm und klapprig war, aber auch dann tat es ihm hinterher leid. Colonel war ein großes altes Arbeitspferd, knochig und grobschlächtig, und Mark mußte auf ihm ganz verrenkt sitzen, die Beine waagrecht ausgestreckt. Das tat weh. Auf Colonel saß man wie auf einem knochigen Erdbeben. Mark lachte – Colonel, ein knochiges Erdbeben!

Mit Colonel einfach nur spazierenzugehen war leichter und machte mehr Spaß. Er hatte Colonel alles gezeigt, was er auf der Farm kannte – sogar die kleinen Vogelnester, die im Gras versteckt lagen. Das war wichtig: Wenn er in der Schule war und Colonel allein graste, würde er die Nester nicht mit seinen großen, platten, breitgequetschten Füßen zertrampeln.

Aber auch Colonel kannte allerhand interessante Plätze. Colonel war auf dieser Farm zur Welt gekommen. Er wußte Bescheid. Er hatte Mark den kleinen, flüsternden Bach gezeigt, der durch die Senke und weiter durchs Wäldchen floß. Wenn man schweigend unter den Bäumen stand, war es still und geheimnisvoll, fast wie in der Kirche, nur daß immerzu der kleine Bach raunte. Er war so schmal, daß sie nicht nebeneinander in ihm waten konnten und Mark hinter Colonel daherplantschte. Doch häufig wollte Colonel nur in dem Bachwasser stehen, das um seine Füße spülte und flüsterte. Vielleicht hatte Colonel aus all den Kartoffeln soviel Kraft gewonnen, daß er aufgestanden war – vielleicht stand er schon jetzt auf den Beinen! Dann konnten sie zum Kaltwasserbach unter den Bäumen im Wäldchen gehen.

Aber Mark kroch nicht aus seinem dumpfen Tunnel. Er hatte es Mutter versprochen, und er hatte einen Handel abgeschlossen, also spielte er weiter im Heuhaufen. Irgendwo war er sicher, daß es Colonel helfen würde, wenn er alles richtig machte und gehorchte. Mark begann wieder zu graben – es war heiß und staubig unter dem Heu, und seine Nase prickelte, aber er sah keine andere Möglichkeit, die ihn von verstohlenen Blicken nach Colonel abhalten konnte. Dann stieß er plötzlich auf den Haupttunnel, den er vor langer Zeit gegraben hatte. Geschafft! Er hatte gespielt, bis er zum Hauptgang durchgebrochen war.

Er hatte gespielt wie versprochen, und er hatte seinen Teil zum Handel beigetragen. Doch ein Pony hätte keinen Sinn.

Nachdem Mark in den Haupttunnel gekrochen war, lag er da und keuchte. Am Ende dieses Tunnels war Licht, dämmriges Scheunenlicht, und es gab Luft. Es war hier sogar ein bißchen kühler – aber nicht viel.

Colonel im sonnigen Hof schwitzte bestimmt. Oh, es war so ruhig, einsam und ruhig. Mann, er schwitzte und hatte Durst. Colonel draußen in der Sonne mußte auch durstig sein, besonders nach den Kartoffeln. Wenn Colonel einen Eimer voll Wasser brauchte, dann war es kein Betrug, ihm etwas zu trinken zu bringen. Und wenn Colonel den Kopf hoch genug heben konnte, um aus dem Eimer zu trinken – natürlich müßte er Colonels Kopf halten –, dann war es doch wohl möglich, daß er auf die Beine kam? Da stand er vielleicht, wenn die Eltern kamen, und es war nichts weiter zu tun, als ihn mit Hafer und einem Löffel Stärkungsmittel nach dem andern zu füttern.

Wieviel Uhr mochte es sein? Das Licht wirkte so düster. Vielleicht war es spät. Er hatte immerzu gespielt und nachgedacht, und es hatte lange gedauert, bis er Colonel die Kartoffeln gefüttert hatte. Am Ende waren Vater und Mutter jetzt schon auf dem Heimweg. Und Colonel lag immer noch da, weil er Wasser brauchte. Besser, er lief zum Haus und schaute nach der Uhr, und wenn es Zeit war, holte er Colonel einen Eimer voll Wasser.

Mark kletterte die Bodenleiter hinunter und blieb überrascht am offenen Scheunentor stehen. Nicht nur in der Scheune war es düster! Alles war überall düster und feindlich und bedrohlich. Alles wartete. Hatte er wirklich so lange unter dem Heu gespielt, daß es so spät war? Doch Mutter und Vater waren noch nicht zurück. Mark lief zum Haus, um auf die Uhr zu schauen.

Es war wirklich spät – zehn vor sechs. Viel später, als Vater gewöhnlich nach Hause kam. Er hatte keine Zeit mehr, zur Quelle zu rennen. Er schaute aus dem Fenster und sah, daß Colonel immer noch da lag – flach am Boden. Er hatte geschaut, aber es war schon spät – er hatte seinen Teil zum Handel beigetragen.

Mark lief ins Wohnzimmer. Vom Fenster dort konnte er weit die Straße hinuntersehen, aber es kam kein Auto. Mark machte sich Sorgen. Vielleicht kamen sie so spät, weil sie noch ein Pony besorgten? Was würde er tun, wenn sie ein Pony mitbrachten? Man konnte doch seinen Eltern nicht sagen: „Nein, ich möchte es nicht haben. Auch nicht zum Geburtstag." Das ging nicht, wenn es schon da war. Mark ging von Fenster zu Fenster, bis er vom Eßzimmer aus das einzelne Feld überschauen konnte, das ihr Land von Sayers' Farm trennte. Während Mark noch hinaussah, kamen Mr. und Mrs. Sayers aus ihrem Haus gelaufen. Mr. Sayers trug ein Radio, aber Mrs. Sayers starrte herüber zum Haus, als schaue sie ihm direkt in die Augen.

Dann hoben sie die Köpfe zum Himmel. Mr. Sayers lief zurück, packte seine Frau am Arm und zog sie in die Richtung der Scheune. Doch es war, als ob sie Mark am Fenster gesehen hätte, sie machte sich los und schien zu rufen. Mark konnte sie nicht hören, weil ein ungeheures Dröhnen näherkam. Er lief aus dem Haus und hinaus aufs Feld, aber Mr. Sayers schwenkte abwehrend sein Radio: Zurück ins Haus! Mrs. Sayers schrie und schrie irgend etwas, aber wegen diesem schrecklichen Gebrause konnte er kein Wort verstehen.

Dann deutete Mr. Sayers nach oben, und Mark schaute hoch. Über den Hügel kam wirbelnd und bedrohlich eine große schwarze Wolke. Dann drang Mrs. Sayers' Schrei durch den Lärm: „Mark, lauf in den Keller – das ist ein Wirbelsturm!"

Mark rannte zur Scheune. „Nicht in die Scheune, nicht in die Scheune!" schrie Mrs. Sayers. Aber jetzt liefen die zwei alten Leute zu ihrer Scheune – komisch, und er sollte nicht in seine gehen?

„Colonel ist dort, ich muß –" brüllte Mark über das Feld. Aber die Alten konnten nichts hören, sie liefen weiter, schon war der Tornado hinter ihnen her. Er kreiste und wirbelte in der Luft und stieß dann herunter auf ihr Haus. Sofort hob er sich wieder, aber jetzt hatte das Haus kein Dach mehr. Nur die nackten Wände blieben unter der brüllenden Schwärze zurück.

In seiner Verwirrung und Angst wollte Mark zu Colonel laufen, doch plötzlich war da ein so schmerzender, kreischender Lärm, daß er herumfuhr und wie angewurzelt stehenblieb. Die Scheune von Sayers! Der Wirbelsturm hatte die Scheune gepackt und zog sie nun in die Lüfte, nur die Kellerwände standen noch, und Mr. und Mrs. Sayers mußten droben sein im Tornado.

Jetzt wandte sich der Wirbelsturm dem einzelnen Feld zwischen ihren Häusern zu – er wollte Mark holen, und der konnte sich nicht rühren! Er konnte sich nicht rühren, und dort lag Colonel!

Mark hörte sich schreien: „Lauf, Colonel. Lauf!" Colonel konnte nicht laufen, aber irgendwie verhalf es ihm dazu, sich aus seiner Erstarrung zu lösen. Jetzt stand er im Kellergang mit der offenen Falltür. Er konnte nichts mehr für Colonel tun. Er rannte die Stufen hinunter.

Nun würde der Tornado Colonel packen. Mark rannte die Treppe wieder hinauf – wenn er Colonel auf die Beine bringen und in den Scheunenkeller ziehen könnte …

Es war zu spät. Der Wirbelsturm hatte das Feld schon überquert. Er war im Hof, und die Kellertür stand noch offen. Mark hakte die Falltür los und wollte sie über sich zuziehen, doch der

Tornado war so nah, daß der Sog die Tür hochklappte und herunterschlug, als wäre sie ein großer hölzerner Flügel. Mark hing an ihr und konnte nicht loslassen. Er hing da und sah Colonel, hörte, wie Colonel schrie. Der Schrei des alten Pferdes war so angstvoll und so schrill, daß er das Gebrüll des Tornados durchdrang.

Dann warf Colonel seinen Kopf so weit zurück, daß Mark den Schädel umgekehrt sah, mit dem schreienden Maul und den gebleckten großen Zähnen. Mit einem mächtigen Satz warf er sich herum, versammelte seine Beine unter sich und stand auf. Er strauchelte nur einen Augenblick lang, dann raste er mit großen steifen Sprüngen auf die Weide, vor dem Tornado her. Colonel war auf den Beinen! Im nächsten Moment verschlang ihn die schwarze Wolke, und Mark konnte ihn nicht mehr sehen.

Plötzlich war der Sog weg. Die Falltür klappte mit einem Donnerschlag zu und warf Mark die Stufen hinunter. Schlaff fiel er auf die verstreuten Kartoffeln. Alles wurde schwarz und still.

DAS PFERD IM BACH

Mark war es, als käme er Zentimeter um Zentimeter in die Wirklichkeit zurück. Seine Wange und Nase drückten sich gegen etwas Weiches, Kissenartiges, das muffig und nach Erde roch. Er nahm es in die Hand – es war eine Kartoffel, sie ließ sich zerquetschen. „Vater! Mutter!" schrie er. Niemand antwortete. Alles war still. Mark stand mühsam auf. Ihm war schwindlig, aber jetzt wußte er, wo er war, jetzt erinnerte er sich. Doch alles war ruhig, zu ruhig.

Er war im Keller. Er hatte zwischen den Kartoffeln gelegen,

die Falltür hatte ihn dorthin geschleudert, als sie zugekracht war. Ein Wirbelsturm hatte getobt, und von der Kellertür aus hatte er Colonel gesehen, der aufgestanden und vor dem Tornado her über die Weide galoppiert war.

Jetzt durchdrang ein mächtiges Prasseln die Stille. Regen donnerte auf die geschlossene Falltür und fand Ritzen in dem zersplitterten alten Holz. Große Tropfen klatschen Mark auf den Nacken und krochen kalt seinen Rücken hinunter. Mit einer Hand befühlte Mark seinen Kopf, wo ihn die Falltür getroffen hatte und jetzt das Blut langsam pochte. Sein Kopf war naß, aber regennaß, nicht blutnaß — Blut wäre warm und klebrig. Die Nässe war kalt und voller Holzspäne und -splitter. Angeekelt wischte er sich mit der flachen Hand den Nacken und taumelte die Kellertreppe hinauf. Er mußte hinaus und sehen, was mit Colonel geschehen war.

Mark nahm alle Kraft zusammen und versuchte, beide Hände auf die oberste Stufe gestützt und den gebeugten Rücken gegen das nasse, verbogene Holz gestemmt, die Tür aus dem Rahmen zu drücken. Er warf sich dagegen, aber nichts rührte sich. Es regnete jetzt stärker. Die Nässe triefte von seinem Kopf, lief ihm ins Hemd, teilte sich und rann beide Beine hinunter in die Socken und Schuhe. Er ging zur mittleren Stufe hinunter und ließ das Regenwasser über Kopf und Gesicht spülen.

Plötzlich kam er sich sehr dumm vor. Da stemmte er sich mit dröhnendem Kopf gegen eine verklemmte Tür, obwohl er nichts weiter tun mußte, als sich durch den Keller und die Innentreppe hinauf zum Eßzimmer zu tasten! Er tappte durch die über dem Boden verstreuten Kartoffeln, um nicht noch einmal zu fallen. Aber er war sowieso schon schmutzig und naß! Also kam es nicht mehr darauf an. Er ließ sich auf Hände und Knie fallen und kroch die Innentreppe hinauf.

Als Mark die Eßzimmertür öffnete, merkte er verblüfft, daß es hier oben fast so dunkel war wie im fensterlosen Keller. Das ganze Haus umschloß ein dunkler Regenvorhang. Die Dachrinnen konnten die Regenmassen nicht bewältigen, die auf das Dach trommelten; sie flossen über, und das Wasser quoll in dichten, dunklen Bächen über die Fenster. Das Haus war leer und ruhig, von ihm abgesehen. War es nachtdunkel oder regendunkel? Wie lange hatte er im Keller gelegen?

Mark lief zur Küchenuhr. Die Zeiger standen noch auf zehn bis sechs – genau wie vor dem Tornado. In diesem Augenblick mußten die elektrischen Leitungen zwischen hier und Stanton zusammengebrochen sein.

Er wollte das Licht anschalten. Es gab kein Licht. Er hob den Hörer vom Wandtelefon über dem Küchentisch. Das Telefon war so tot wie die Uhr. Auch die Telefonleitungen mußten kaputt sein.

Niemand würde anrufen – niemand konnte anrufen. Und in einem solchen Regen konnte keiner kommen. Nur die Nacht kam – Nacht und Dunkelheit und Regen. In diesem Regen konnte nicht einmal Mr. Sayers über das Feld zwischen ihren Häusern laufen, und er, Mark, konnte nicht hinübergehen zu den Nachbarn. Oh! Er hatte es vergessen! Die Nachbarn waren verschwunden – verschwunden mit ihrer Scheune. Colonel war verschwunden. Keiner war mehr da.

Der Gedanke an Colonel ließ Mark zum Abstellraum laufen, dessen Fenster über der Kellertür lag. Aber er konnte nur bis zur Scheune sehen, die nichts als ein trüber, rötlicher Klumpen hinter dem Regenvorhang war, der von ihrem Dach herunterstürzte. Der Hang zwischen Hof und Weide war ein rasender, brodelnder Fluß. Mark schauderte. Wenn Colonel es nicht geschafft hätte, auf die Beine zu kommen, wäre er ertrunken. Wenn der Tornado nicht so dicht herangekommen wäre, hätte Colonel seinen Platz nicht verlassen. Wenn Colonel wieder gefallen war, wenn er mit dem Kopf auf der Erde lag, würde er auf der Weide ertrinken. Mark konnte nichts sehen, er konnte nicht hinausgehen, oder? Wenn er im Dunkeln fiel, würde auch er ertrinken, oder nicht? Und eine Laterne würde erlöschen.

Laterne! Mark lief zurück in die Küche, riß die Schranktür unter der Spüle auf und fand die Laterne an dem Platz, an dem sie seiner Erinnerung nach sein mußte. Er schüttelte sie und hörte das Petroleum glucksen. Er zündete die Laterne an und stellte sie zur Sicherheit in die Spüle.

Danach gab es nichts mehr zu tun, als dem Regen zu lauschen, der alles ausschloß und ihn einschloß. Wenn Colonel lebte, peitschte der Regen auf ihn nieder, selbst wenn er auf seinen Füßen stand. Das mußte weh tun, mußte sich anfühlen wie Hagel oder harte, schlagende Stöcke. Aber selbst das wäre besser, als wenn Colonel flach auf dem Boden läge.

Er würde warten, bis der Regen nachließ; aber er wollte schon Stiefel und Regenmantel holen. Er lief in sein Zimmer.

Wieder in der Küche, zog er die Stiefel an, doch dann fiel ihm etwas anderes ein. Er ließ Regenmantel und Mütze auf einem Stuhl liegen und polterte in seinen schweren Stiefeln zum Abstellraum, wo er eine große Pappschachtel gesehen hatte. Er sprang auf ihr hin und her, bis sie flach war. Der Regen mußte schwächer geworden sein, denn sein Stampfen kam ihm lauter vor als die Wassergeräusche draußen.

Mit der flachen Pappe ging Mark in die Küche zurück. Er legte den Karton auf den Tisch und fischte aus der Schublade einen Zimmermannsbleistift – der würde dick und schwarz schreiben.

Er horchte, während er sich überlegte, was er schreiben sollte. Der Regen mußte nachlassen. Rasch schrieb er: „Mutter, Vater. Der Wirbelsturm ist gekommen, und Colonel ist aufgestanden und auf die Weide gelaufen. Ich habe ihm nicht helfen können, aber jetzt muß ich ihn suchen. Wenn ich nicht da bin, wenn Ihr kommt, sehe ich nach Colonel."

Er hatte groß und deutlich geschrieben. Er stellte den Karton auf die Spüle. So würden sie ihn sofort beim Hereinkommen im Laternenlicht sehen. Unten auf der Pappe war noch Raum frei. Er mußte klein schreiben. „Mr. und Mrs. Sayers sind mit ihrer Scheune in den Tornado aufgestiegen." Er stellte den Karton zurück. So klein er auch diese letzten Worte geschrieben hatte – sie wirkten am größten, weil sie so gespenstisch waren. Er nahm den Bleistift und fügte hinzu: „glaube ich." Es war ein bißchen besser, aber nicht viel. Er stellte die Kaffeekanne gegen den Karton, damit er nicht auf die Laterne fallen konnte. Dann zog er den Vorhang zur Seite, um zu sehen, ob der Regen aufgehört hatte.

Er hatte nachgelassen. Das Wasser rauschte nicht mehr über die Dachrinne hinaus, und jenseits des Feldes zeigte sich am Himmel ein seltsames Abendlicht. Es beleuchtete die weißen Mauern des Sayers-Hauses, die in den Regen hineinragten. Der Regen fiel schwarz zwischen die weißen Mauern. Die Scheune war verschwunden, die alten Leute waren verschwunden, und plötzlich bemerkte Mark, daß auch das alte weiße Auto, das so selten funktioniert hatte, mit dem Wirbelsturm verschwunden war.

Das eigenartige Licht glitzerte auf etwas, das vor dem Haus der Sayers auf der Straße lag. Es war ein großes Gewirr verbogener, glänzender Drähte – die ineinander verschlungenen Telefon- und Stromleitungen, die sich um die dunklen hölzernen Antennenmasten gewickelt hatten.

Es gab keine Straße nach Stanton mehr. Hinter den Drähten verschwand die Straße in einer Masse entwurzelter, umgeworfener Bäume. Die Bäume am Straßenrand waren von beiden Seiten auf die Fahrbahn geschleudert worden, und andere Bäume wuchsen aus ihnen heraus, als wären sie umgekehrt gepflanzt worden; die großen, starken Wurzeln zeigten zum Himmel. Unter den Bäumen lag die überschwemmte Straße wie ein Fluß.

Dann hörte der Regen auf. Jetzt bewegte sich nur noch das

Wasser, und das seltsame, glasige Licht am Himmel verblich. Nachtdunkelheit trat an die Stelle der Regendunkelheit. Kein Laut war zu hören außer dem Tropf, Tropf, Tropf.

Mark wandte sich vom Fenster ab und nahm seine Regensachen. Wenn er noch länger hinausschaute, würde er sich vor Angst nicht mehr von der Stelle wagen. Mutter und Vater konnten nicht kommen. Es gab keine Straße mehr. Wenn sie zu Fuß gingen, würden sie Stunden brauchen. Auf der Weide mußte es dunkel sein. Mark griff nach der Laterne. Nein, wenn er sie mitnahm und Mutter und Vater kamen doch, könnten sie seine Nachricht nicht lesen. Und wenn er Colonel nicht fand und allein zurückkommen mußte, wäre kein Licht im Fenster.

Es war zum Fürchten, hinauszugehen, und hier war es auch zum Fürchten. Mark zog die Mütze fest über den Kopf. Er würde Colonel finden! Er würde ihn zum Haus bringen, die Laterne holen und mit Colonel in die Scheune gehen.

Mark stieß die Hintertür auf, rannte hinaus und ließ sie hinter sich ins Schloß fallen. Es klang wie ein Schuß, als er davonlief. Mit seinen Stiefeln machte er im Wasser laute, platschende Geräusche. Er stampfte so sehr, daß das Wasser kalt die Hosenbeine unter seinem Regenmantel hinaufspritzte. Das war unangenehm, aber der Lärm, den er verursachte, half. Er lief auf der höhergelegenen Grundstückseite und rund um die Scheune zu den offenen Toren. Im tieferen Scheunenhof stand das Wasser sicher zu hoch, als daß er wie Colonel durch das Weidengatter gehen konnte.

Es regnete nicht mehr, und sein Regenmantel war nutzlos, er war sowieso schon naß. Mark zog ihn im Laufen aus und warf ihn hinüber zu dem offenen Tor. Auch ohne daß ihn der Regenmantel behinderte, würde es schwierig genug sein, in den schweren Stiefeln über den Zaun zu klettern.

Ohne den Regenmantel fühlte sich Mark befreit und schnell. Er mußte sich beeilen. Plötzlich wurde ihm klar, daß er schon auf der Weide war. Er hatte keinen Zaun überklettern müssen. Der Zaun war verschwunden – von der Scheunenecke gerissen, an die er festgenagelt gewesen war!

Mark blieb überrascht stehen. So nah war der Wirbelsturm um die Scheune gefegt! Er hatte den Zaun weggerissen, als könnte er nicht schnell genug Colonel packen. So dicht war er über dem Boden gewesen! Aber als Mark den Tornado jenseits der Scheune gesehen hatte, war er so hoch gewesen, daß er Colonel erkennen konnte, der ihm davonraste. Wäre der Sturm nieder gewesen, hätte er Colonel nicht gesehen. Das bedeutete, daß der Tornado sich in diesem Moment in den Himmel gehoben hatte. Er konnte Colonel nicht in seinem Sog verschlungen haben, oder doch?

Nur wenn der Tornado sich herabsenkte wie über die Scheune der Sayers, dann zog er die Dinge in sich hinein. Wenn er schon hoch in den Lüften gewesen war, dann hatte er Colonel verschont. Das Pferd mußte irgendwo auf der Weide sein.

Mark war erleichtert. Im Laufen rief er Colonels Namen vor sich her. Seine Augen hatten sich jetzt an das schwache Licht gewöhnt, und er kam schneller vorwärts. Doch plötzlich, mitten in einem Sprung, hielt er an wie erstarrt. Er wich zurück und brachte es nicht über sich, weiterzugehen. Colonel war überhaupt nicht in Sicherheit. Unmöglich! Die mittlere Weide lag voll schwerer, großer Gegenstände. Der Wirbelsturm hatte überall Zeug verstreut. Die Weide sah irrsinnig aus mit all den Dingen, die in die Häuser von Leuten gehörten – nicht auf eine Wiese! Da lag ein weißer Emailleherd, in den ein Spiegel geschmettert war. Weit entferntes schwaches Sternenlicht zitterte in den zerbrochenen Scheiben. Zwischen großen Holzpfählen von Scheunen, die in das Gras gespeert waren, hatten sich Betten und Tische und eine zertrümmerte Kommode und Türen in den Boden gebohrt. Und dort lag ein Spülbecken. Etwas von diesen Trümmern mußte Colonel getroffen haben.

Und dort, hinter dem Haufen durcheinandergeworfener Dinge, war ein Dach – ein ganzes Dach auf ihrer Weide. Es war das Dach von Sayers' Haus! Das war am gespenstischsten – das Dach eines Hauses, das man kannte, auf der eigenen Weide. Angenommen, das Dach wäre auf Colonel gefallen! Der Wirbelsturm hatte Colonel nicht verschlungen, aber er mußte alles, was er finden konnte, nach dem galoppierenden Pferd geschleudert haben. Vielleicht lag Colonel gerade jetzt zerschmettert unter dem Dach, vielleicht war er verletzt, vielleicht brauchte Colonel ihn.

Mit einem Wimmern in der Kehle rannte Mark über die Weide zu dem Dach. Auf halbem Weg wurden ihm plötzlich die Beine hochgeschleudert, und er lag flach am Boden. Er war über eine wassergetränkte Matratze im Gras gestolpert. Gerade neben sich sah Mark eine große Geldrolle mit einem Gummiband darum. Er kroch hinüber und hob sie auf. Daß er jetzt das nasse Geld in seine Taschen stopfen und es betrachten konnte, machte es leichter, bis zum Dach zu kommen. Colonel war nicht dort. In seiner Erleichterung tanzte Mark fast das steile Dach hinauf, über die Schindeln bis zum First. Von dort aus konnte er alle Einzelheiten auf der Weide klar erkennen bis hinüber zu der tiefen Senke, die sie vom Wäldchen trennte. Es waren jetzt mehr Sterne am Himmel, mit mehr Licht. Und – am anderen Ende der Weide war alles leer und sauber!

Das zerschmetterte Gerümpel lag nur auf der mittleren Weide. Nirgendwo sah er das Weiß von Colonels Fell, aber Colonel stand auch nicht auf dem leeren Teil der Weide. Dann mußte er zum Bach gegangen sein, um seine kranken Füße zu kühlen. Das tat er immer.

Mark schrie „Colonel", rannte das steile Dach hinunter und raste mit diesem Anlauf zum anderen Ende der Weide bei der Senke.

Der Wirbelsturm war in der Senke gewesen! Da drunten lagen Bäume in einem Wirrwarr von gespensterweißen Wurzeln.

Aber da war noch etwas Weißeres als die Wurzeln in dem Durcheinander der Blätter und Zweige. In der Senke unter den ausgerissenen Bäumen war das Weiß von Colonel.

Das war nicht recht! Ganze Riesenbäume waren über Colonel zusammengestürzt. Der Wirbelsturm hatte ihn nicht verschlungen, der Wirbelsturm hatte nicht die Tische und Herde auf ihn geworfen, aber gerade bevor der alte Colonel seinen Bach im Wäldchen erreichte, hatte der Tornado ihn unter Bäumen zerschmettert. Mark konnte sich nicht rühren. Er konnte es nicht glauben. Er hatte seinen Teil zum Handel beigetragen. Das war nicht recht!

Dann plötzlich wußte er – es konnte nicht das Weiß von Colonel sein. Er wußte, jetzt wußte er, daß es das Kalkweiß von Mr. Sayers' altmodischem Wagen war. Das war es. Natürlich, Colonel schaffte es doch nicht einmal, die steile Seite der Senke hinunterzuklettern. Er hatte sich so um Colonel geängstigt, daß er gedacht hatte, etwas Weißes könne nur Colonel sein.

Mark machte kehrt und rannte den Damm oberhalb der Senke entlang und den flachen Hang hinunter zum Wäldchen. Dort würde Colonel sein und sich die Füße im Bachwasser kühlen.

Und als er unter den dunklen Bäumen ins Wäldchen lief, war da wirklich ein Pferd im Bach. Aber es war ein dunkles Pferd. Unsicher bewegte sich Mark vorwärts. Im geheimnisvollen Dunkel unter den großen Bäumen flüsterte der kleine Bach vor sich hin. Mark kam ein seltsamer Gedanke. Heute morgen hatte Vater von einem anderen Pferd gesprochen. Konnte das sein Geburtstagspferd sein? Konnte Vater dieses Pferd zum Wäldchen gebracht haben, um es bis morgen, bis zu seinem Geburtstag zu verstecken? Es war so feierlich und ruhig hier unter den nassen Bäumen am raunenden Bach, daß es nicht schwerfiel, an alles zu glauben. Das Pferd schaute nicht auf.

Er konnte Colonel nicht finden. Er hatte überall gesucht. Er würde dieses Pferd in die Scheune bringen. Dann wäre es nicht so allein. Er würde es als sein Pferd betrachten, bis Vater ihm etwas anderes sagte.

Mark kroch weiter, um das Pferd anzusehen. Es war eine wunderschöne Stute. Sie war seidig und zart und braun. Sie war schlank und jung. „Fee", sagte er zu ihr. „Ich werde dich Fee nennen, weil du plötzlich hier stehst, schön wie eine Fee. Ich werde dich mit nach Hause nehmen und dich Fee nennen, solange ich dich habe."

Bei Marks leisem Geflüster hob das neue Pferd den Kopf, um ihn anzuschauen. Und gerade als Fee aufschaute, wieherte ein Pferd. Das Wiehern kam von der Senke. Colonel war in der Senke, Colonel war am Leben!

„Colonel! Colonel!" schrie Mark, „ich komme, ich komme!"

Bei seinem Geschrei scheute das neue Pferd und begann zu zittern.

„Oh, ich habe dich erschreckt", sagte Mark. „Das kommt davon, wenn man einen Wirbelsturm hinter sich hat, nicht wahr?" Unschlüssig stand er da. Er wollte so schnell wie möglich zu Colonel, aber er mußte das neue Pferd beruhigen. Es zitterte und ließ den Kopf hängen. Mark sah das Stück Stoff, das um die Fessel der Stute gewickelt war. Ein loses Ende davon trieb in der Strömung des Baches. Das machte sie wohl nervös. Er würde es abwickeln, bevor er zu Colonel lief. Er rutschte die Böschung hinunter in den Bach und klopfte leicht auf das Bein der Stute, um ihr klarzumachen, daß sie den Huf heben sollte. Dann begann er den dünnen Stoff loszuwickeln.

Oh, aber das war nicht nur ein Stück Stoff – das war ein Verband. Da war Blut. Der Verband durfte nicht herunter. Mark wickelte ihn wieder um die Fessel und überlegte, wie er ihn in dem strömenden Wasser befestigen könne. Das Pferd schaute auf ihn herab. Mark zerrte die Rolle mit den Geldscheinen aus seiner Tasche und zog das Gummiband herunter. „Gerade ist mir dieses Geld eingefallen. Schau, das ist ein gutes Gummiband. Damit kann dein Verband nicht rutschen, jetzt ist alles in Ordnung."

Die Stute schien zu verstehen. Es war einfach, das Gummiband über den Verband zu streifen, viel einfacher, als das nasse Geld wieder in die Tasche zu stecken. In seiner Ungeduld, zu Colonel zu kommen, ließ Mark die Scheine fallen. Er stürzte sich auf sie und erwischte die meisten, bevor sie von der Strömung davongetragen wurden. Er stopfte sie in die Tasche und kletterte aus dem Bach. „Ich gehe und hole Colonel", erklärte er dem neuen Pferd. „Du wartest hier. Wir sind gleich zurück."

Während er davoneilte, schaute Mark immer wieder über die Schulter zurück, ob mit dem neuen Pferd auch alles in Ordnung war. Dann warf die Stute den Kopf hoch und wieherte ihm nach.

Wie ein Echo kam ein Antwort-Wiehern aus der Senke. „Hast du gehört?" rief Mark zurück. „Das ist Colonel."

Jetzt war nichts mehr zum Fürchten an der Senke mit ihren gespenstischen, entwurzelten Bäumen in der dunklen Nacht.

Es war fabelhaft, wie Colonel das geschafft hatte. Er mußte die steile Seite der Senke hinuntergelaufen und in das Gewirr der gerade vom Wirbelsturm entwurzelten Bäume geraten sein. Er war in die riesige V-förmige Gabelung des größten Baumes gerannt. Die mannsdicken Äste hatten Colonel umklammert und ihn auf seinen steifen alten Beinen gehalten. Dann waren die kleinen Zweige wieder an ihren Platz unter ihm zurückgeschnellt. Jetzt stand er in einem Gefängnis aus Ästen, die ihn auf den Beinen hielten.

„O du!" lobte Mark Colonel. „Oh, du warst klug." Aber Colonel gefiel es nicht in seinem Gefängnis. Er wieherte über Marks Kopf zum Bach hinüber. Dann schaute er herunter, und seine lange Unterlippe bebte. Er hatte kein bißchen Geduld mit Mark, der so lange brauchte, um ihn zu befreien. Nun, natürlich nicht. Colonel wollte das neue Pferd sehen, das sein Gefährte werden würde – wenn es blieb, wenn Mark es behalten konnte. Es war ein wunderbarer Gedanke.

„Es ist eine Sie", erklärte Mark Colonel, während er an den dickeren Ästen zog und sie zurückbog. Als sie aus dem Weg waren, ging Colonel rückwärts aus der Gabelung und trat die kleineren Zweige einfach nieder. Er zertrampelte sie.

Sobald er aus dem Baumgefängnis war, wandte sich Colonel um und lief auf das Wäldchen zu. Mark mußte rennen, um die Leine an Colonels Halfter zu erwischen. Colonel steuerte genau auf das neue Pferd zu.

Die beiden Pferde wieherten nicht, sie beschnupperten sich nicht, aber sie drängten sich so dicht aneinander, daß ihre Seiten sich berührten. Sie sprachen wohl miteinander von Fell zu Fell, denn langsam hörte Fee auf zu zittern und zu schaudern und stand still und schlank neben dem stämmigen alten Colonel.

Alles war so ruhig, daß Mark das leise Raunen des Baches hören konnte. Jetzt hatte er Colonel wieder, und jetzt wußte er, wie er ihn auf den Beinen halten konnte. Colonel brauchte nur etwas unter sich, damit er sich nicht auf seine steifen, kranken Beine legen konnte.

Vater würde staunen! Wenn er Colonels Box in der Scheune so herrichtete, daß er Vater zeigen konnte, wie man Colonel auf den Füßen hielt, dann konnte das alte Pferd auf der Farm bleiben. Und jetzt – zumindest eine Zeitlang – wäre da auch noch Fee. Colonel und Fee! Fee und Colonel! Marks Zunge streichelte die Namen. Und vielleicht ging alles so aus, daß Fee bleiben konnte – oh, das wäre herrlich.

Mark konnte es nicht abwarten, seinen Plan auszuführen. Er packte die Leine von Colonels Halfter und führte ihn durch das Wasser zum Rand des Wäldchens. Das neue Pferd folgte brav durch den schmalen, gewundenen Bach.

Der Wirbelsturm hatte alles auf die mittlere Weide geworfen,

aber der Pfad zur Scheune lag sauber und leer da. Die Pferde
konnten nebeneinander gehen und Mark zwischen ihnen. Die
Hufe klangen dumpf auf der feuchten Erde. Die großen Pferde-
leiber gaben beruhigende Geräusche von sich, während sie da-
hinschaukelten. Colonel ging so langbeinig wie Fee, um nicht
hinter ihr zurückzubleiben – als wäre sie seine Frau. Mark
jauchzte laut auf und ging aufrecht, groß und selbstsicher zwischen ihren nickenden Köpfen. Nun kam er doch nicht allein
nach Hause. Und Colonel hatte eine Frau, und er einen neuen
Freund. Vor allem hatte er Colonel gesund wieder. Vater würde
sehen, welche wunderbaren Dinge Fee für Colonel tat. Oh, Vater hatte recht gehabt – Fee machte Colonel jung.

DIE MILCHWAGEN-AMBULANZ

Während Mark zwischen seinen beiden Pferden auf die
Scheune zuging, wußte er nicht, was er mehr wollte: Er
wünschte sehr, seine Eltern wären zu Hause, wenn er mit den
Pferden kam, doch zugleich lag ihm daran, Colonel so in seiner
Box unterzubringen, daß Vater sehen konnte, wie Colonel auf
den Beinen zu halten war. Colonel lief jetzt sehr ordentlich,
genauso schnell wie Fee, und das, nachdem er so lange im Scheunenhof gelegen hatte. Bestimmt hatte die schnelle, schwierige
Flucht vor dem Wirbelsturm seine steifen alten Beine gelockert.
Er hatte es sogar geschafft, den steilen Abhang zur Senke hin-
unterzukommen.

Mark warf einen Blick auf das Kleid, das um Fees Bein gewickelt war. Irgendwie machte es Fee mehr zu Colonels Frau –
sie mit ihrem einen schlechten Bein und Colonel mit vieren gehörten dadurch mehr zusammen.

Wenn so wunderbare Dinge sich ereignet hatten – daß Colonel noch lebte und Fee gekommen war –, dann sollte, dachte Mark, noch ein anderes Wunder geschehen: Sobald er um die Scheune kam, sollten die Scheinwerfer von Vaters Lastwagen ihn und seine beiden Pferden anleuchten. Mutter und Vater würden durch die große Windschutzscheibe schauen und kaum glauben, was sie sahen.

Und wenn das wirklich geschähe? Es wäre nicht unmöglich! Vielleicht war Vaters Lastwagen über die Felder gekommen, weil die Straßen blockiert waren. Jetzt gleich würden sie um die Scheune biegen!

Wenn der Lastwagen da wäre, würde er sich vor die Scheinwerfer stellen, und in dem Augenblick, in dem Vater heruntersprang, würde er sagen: „Vater, was sagst du zu meiner Pferdefamilie? Colonel ist aufgestanden, und Fee ist gekommen, um seine Frau zu werden. Du hast sie mir zum Geburtstag gekauft, nicht wahr? Aber wenn nicht, können wir sie dann trotzdem behalten?"

Doch es war kein Lastwagen da, und es kam auch nichts – keine Scheinwerfer, kein Motorgebrumm. Mark war enttäuscht, aber er überlegte. Mr. und Mrs. Sayers waren mit ihrer Scheune im Wirbelsturm verschwunden – vielleicht hatte der Tornado auch die Besitzer von Fee verschlungen. Dann gab es keinen außer ihm, der sich um Fee kümmern konnte – der sie fütterte, ihre Fessel verband und ihr Freund war. Oh, wenn Fee nur bleiben könnte.

Mark schaute hinüber zum Haus. Dunkel hob es sich vom wenig helleren Nachthimmel ab, und nur von der Laterne in der Küchenspüle kam ein schwacher Schein. Auch hinter dem Haus war kein Lastwagen. Er schaute in das Tor der oberen Scheune. Nur sein Regenmantel lag dort, wo er ihn auf die Rampe geworfen hatte. Er schaute über das dunkle Feld, wo Sayers' Haus stand ohne Dach, ohne Licht, ohne Menschen.

Selbst ihre große Scheune war verschwunden. Er fröstelte. Die lange, schwarze Nacht war da. Er schmiegte sich enger an Colonel.

„Komm", sagte er, „ich hole die Laterne und mache dir deine Box zurecht." Die beiden Pferde folgten ihm zur Küchentür. Er klopfte Colonel auf die Schulter und sagte: „Behalte Fee bei dir." Dann lief er hinein, packte die Laterne, rannte zurück zu den Pferden, und sie folgten ihm brav zur Scheune.

In der Scheune fragte sich Mark, wo er die Pferde lassen sollte, während er an Colonels Box arbeitete. Colonel durfte sich nicht hinlegen, sonst kam er nicht mehr hoch. Dann sah Mark in der Ecke das kleine, altmodische Milchfuhrwerk, das dem ehemaligen Besitzer der Farm gehört hatte. Er band Fee und Colonel Seite an Seite vor eines der Räder. Jetzt konnte Colonel nichts passieren.

Und woraus sollte er nun die Haltevorrichtung für Colonel machen? Es mußte sich etwas Geeignetes finden – der alte Mann hatte soviel Kram zurückgelassen. Während Mark noch suchte, entdeckte er es schon: Oben auf einem Querbalken lag eine dicke Rolle aus irgendwelchem Material, die schwer genug aussah. Mit einem Stock holte er sie herunter. Sie entrollte sich über den Boden, breit und dick aus einer Art Gewebe. Mark hob ein Ende hoch – es war stark und stabil. Es war gerade das Richtige. Es war lang genug, daß er es in Teile schneiden und zwei oder drei starke Lagen unter Colonels dicken alten Körper schichten konnte. Die würden ihn aufrecht halten. Wenn er die Riemenenden an die Wand über Colonels Box festnagelte, Colonel in die Box führte, die Riemen unter ihn schlang und sie dann an der anderen Wand mit Haken festmachte, würde Colonel kaum zu schwer für sie sein. Er würde einfach auf ihnen ruhen – und sogar schlafen, schlafen, ohne sich hinzulegen.

Mark stürmte zum Werkzeugkasten und fand Haken, einen Hammer und ein Sichelmesser. Dann nahm er ein Faß, rollte es in Colonels Box und stellte es hochkant. Er schnitt den Riemen in drei Teile, stieg auf das Faß und nagelte eine Länge an die Wand. Er hängte sich daran, um die Stärke des Riemens zu prüfen – er war stabil, und die drei Haken hielten ihn sicher. Dann sprang er, an den Riemen geklammert, vom Faß. Der plötzliche Ruck riß ihm fast die Arme aus den Schultern, aber der breite Riemen hielt.

Mark nahm die anderen beiden Längen und nagelte sie neben die erste. Dann mußte er Colonel von Fee wegführen. „Es dauert nur ein paar Augenblicke", erklärte er ihr, „dann binde ich dich an Colonels Krippe. Du stehst dann zwar auf der anderen Seite der Trennwand, aber ihr könnt euch sehen, und du kannst mit Colonel Heu aus der Krippe fressen ... und Mutter wird Hafer bringen", versprach er. Nach allem, was der Wirbelsturm Fee angetan hatte, brauchte sie Colonels Nähe. Allein war sie zu unsicher.

Es ging nicht so einfach und rasch, wie er sich und Fee versprochen hatte. Er mußte sich an den ersten Riemen hängen, um ihn fest und eng unter Colonels Körper zu ziehen und ihn zu halten, zugleich mußte er einen Haken in den Riemen stoßen und ihn festnageln. Der erste Nagel flog durch die Scheune und klirrte über den Zementboden. Fee machte einen Satz und zerrte an ihrer Leine, bis die kleinen Milchwagenräder quietschten.

Es war ein so schriller, kreischender Lärm, daß Mark oben auf dem Faß herumfuhr. Doch zugleich hörte er ein Geräusch – als ob jemand über die Rampe der oberen Scheune stampfte, als ob jemand oben durch das Tor gelaufen und dann wieder die Rampe hinunter gerannt wäre. Mark schaute hinauf zu den Dachsparren – er wußte es nicht, er war so mit seiner Arbeit und mit Fee beschäftigt gewesen, daß es ihm vorkam, als hätte er das Stampfen nicht bemerkt, bis es vorüber war. Wahrscheinlich kam es von dem Wagen, den Fee über den Boden geschleift hatte.

Er nagelte zwei weitere Haken in den Riemen und hielt dann inne. Konnte es Vater gewesen sein? Wenn ja, dann hätte er Marks Regenmantel dort liegen gesehen. Und Vater wußte nicht, was das bedeuten sollte.

„Colonel", bat Mark, „leg dich nicht hin." Er sprang vom Faß.

„Ich komme sofort zurück, vielleicht mit Vater."

Aber als Mark aus dem Keller und herum zur oberen Scheune lief, sah er, daß das Haus dunkel war. Er hörte keinen Laut. Es schien niemand da zu sein. Doch als er die Rampe hinaufrannte, lag der Regenmantel nicht mehr da. Jemand oder etwas hatte seinen Regenmantel mitgenommen!

Mark stand da und starrte das Haus an. Plötzlich sah er, wie der Strahl einer Taschenlampe durch die Küche glitt.

„Vater!" schrie Mark. „Vater! Mutter!"

Das Licht durchstach das Dunkel vor der Küchentür und fing ihn ein, als er darauf zu rannte.

„Mark, Junge!" gellte eine Stimme. „Mark. Gott sei Dank, du lebst."

Aber es war nicht Vater. Es war Mr. Sayers.

„Mr. Sayers! Ich habe gesehen, wie der Wirbelsturm ihre Scheune davongetragen hat – wie sind Sie herausgekommen?"

„Der Tornado hat die ganze Scheune mitgenommen – und nichts zurückgelassen außer uns und den Kornkasten."

Mr. Sayers öffnete die Tür und ließ Mark herein. Sie standen da und schauten einander an, bis der alte Mann sagte: „Kind, ich muß mich setzen – wir wollen uns beide setzen." Im Schein der Taschenlampe gingen sie ins Wohnzimmer und setzten sich aufs Sofa. Doch Mr. Sayers schwieg eine Zeitlang; dann sagte er langsam: „Diese Taschenlampe ist alles, was wir haben. Wir reden besser im Dunkeln."

„Ich habe eine Laterne in der Scheune, aber es ist fast kein Petroleum mehr drin", sagte Mark.

Dann raffte sich der alte Mann auf und erklärte: „Mark, deine Mutter hat übers Radio gesprochen. Es ist ihr unmöglich, herzukommen. Deshalb hat sie jeden in der Nähe − vor allem mich − gebeten, nach dir zu schauen."

„Aber Mutter wollte mit Vater von Stanton nach Hause kommen, und Vater wollte vielleicht ein Pony auf seinem Lastwagen mitbringen."

„Hör zu, Mark, Stanton wurde fast ganz vom Wirbelsturm zerstört. Der Tornado fegte mitten durch das Dorf, und dein Vater wurde verletzt − wie, weiß ich nicht. Ich weiß nur, daß sie ihn ins Krankenhaus in der Stadt gebracht haben und daß deine Mutter bei ihm ist."

„Ist er schwer verletzt?" Marks Stimme klang zittrig.

„Ich habe dir alles gesagt, was ich weiß, Kind. Er lebt und ist im Krankenhaus. Das ist in dieser Nacht immerhin etwas. Mama ist schwer verletzt, und sie liegt in unserem staubigen alten Haferkasten. Der ist alles, was übrig geblieben ist. Wenn dieser verfluchte Tornado nicht auch noch mein altes Auto mitgenommen hätte, dann hätte ich versucht, sie damit ins Krankenhaus zu bringen − aber die Straßen sind blockiert."

Mark sprang auf. „Hören Sie, Mr. Sayers, in unserer Scheune sind ein altes Milchfuhrwerk und ein neues Pferd, das im Wirbelsturm gekommen ist. Ihr Bein ist verletzt, aber vielleicht könnte Fee den Milchwagen ziehen, und hinter unserer Farm ist die Straße, die Vater manchmal mit dem Lastwagen fährt − vielleicht könnten wir auf diesem Weg zum Krankenhaus kommen, und vielleicht finden wir ein Haus mit einem Telefon und können im Krankenhaus wegen Mrs. Sayers anrufen und mit Mutter reden."

„Junge, Junge! Das wäre vielleicht möglich − es müßte möglich sein! Komm, wir wollen eine Matratze aus einem eurer Betten holen, die legen wir dann hinten in den Wagen." Er drückte Mark die Taschenlampe in die Hand.

45

„Zeig mir den Weg."

„Fee – sie ist das neue Pferd – hat ein krankes Bein, ich weiß also nicht sicher, ob sie einen Wagen ziehen kann."

„Alles ist heute nacht verletzt", sagte Mr. Sayers. „Und wenn sie hierher laufen konnte . . . nun, auf jeden Fall muß das weniger Verletzte dem schlimmer Verletzten helfen. Ich werde mir das Bein anschauen."

Sie rissen das Bettzeug von Marks Bett und warfen es in einem Haufen auf den Boden. „Das kannst du holen, wenn ich mir das Pferd ansehe", sagte der alte Mann.

Sie stellten die Matratze hoch. Mr. Sayers legte den Matratzenschoner darüber. „Den nehmen wir auch. Ich kann ihn zu Binden zerreißen – er ist so fest wie Leinwand. Das wird die Wunde zusammenhalten."

Sie ließen die Matratze die Treppe hinunterrutschen und trugen sie dann unter ihren Armen. In der Scheune brannte die Laterne noch. Sie schoben die Matratze in den Milchwagen. Sie paßte.

Der alte Mann staunte über die breiten Riemen unter Colonel. Mark erklärte ihren Zweck, und Mr. Sayers murmelte: „Ein alter Dreschmaschinenriemen! Wer außer einem Kind wäre darauf gekommen?"

„Aber er hilft doch, oder nicht?" fragte Mark besorgt.

„Warum nicht! Sobald wir das neue Pferd versorgt haben, helfe ich dir die anderen Riemen anzunageln. Jetzt lauf und hol das Bettzeug, damit wir Mama auf der Matratze schön zudecken können. Nimm du die Taschenlampe. Ich kann mich im Laternenlicht um das Pferd kümmern."

Als Mark mit dem Bettzeug zurückkam, war Fees Bein mit einem Streifen von dem Matratzenschoner fest verbunden. „Es ist eine tiefe, schlimme Wunde, und wahrscheinlich konnte nur ein Wirbelsturm sie dazu bringen, damit weiterzulaufen – das Kleid, das darumgewickelt war, hat geholfen. Vielleicht wird es schlimmer, wenn wir sie den Wagen ziehen lassen – vielleicht richten wir dieses Pferd zugrunde, Mark. Aber es muß sein. Mama muß ins Krankenhaus kommen, und du mußt etwas von deinem Vater erfahren. Das verstehst du doch?"

„Ja", sagte Mark und preßte fest die Lippen aufeinander.

„Dann lauf, so schnell du kannst, und sag Mama Bescheid. Sie ist im Kornkasten, und die Tür ist geschlossen – sie kann nicht aufstehen. Geh einfach hinein. Sie hat nichts mehr auf dem Leib als ihr Korsett und ein bißchen Hafer, aber das darf dir nichts ausmachen – das ist eben so eine Nacht. Jetzt lauf und bleibe bei Mama, ich muß dieses alte Geschirr verkleinern, damit es Fee paßt. Nein, ich vergesse nicht, die Riemen für Colonel anzunageln. Geh, aber vergiß die Taschenlampe nicht."

Mark rannte.

DAS LAZARETT IM KORNKASTEN

Mark rannte über das einzelne Feld. Er platschte durch das nasse Gras bis hinüber zu dem weißen Haus ohne Dach und der verschwundenen Scheune dahinter. Die Taschenlampe, die er fest in der Hand hielt, benutzte er nicht, er brauchte sie nicht; er war so lange mit Colonel und Fee im Dunkeln gewesen, daß er jetzt Nachtaugen hatte wie eine Eule, wie eine Katze.

Als er die Zementmauern der fortgewehten Scheune in ihrer ganzen Grausamkeit vor sich sah, verlangsamte Mark seine Schritte. Er blieb unentschlossen in der Toröffnung stehen und ging dann fast auf Zehenspitzen über die vom Wirbelsturm leergefegte Tenne zu dem einzigen Ding, das hier übriggeblieben war – dem Kornkasten mit seinen hölzernen Wänden und dem hölzernen Deckel. Über den Kasten war ein Teppich gelegt.

Er wußte nicht, was er tun sollte, wie die Sache anzupacken war. Schließlich klopfte er schüchtern an die geschlossene Tür. Niemand antwortete. „Mama?" rief Mark leise. Mr. Sayers nannte seine Frau „Mama", und wenn er jetzt „Mama" sagte, würde es ihr vertrauter vorkommen.

Zuerst war alles still, dann kam ein Stöhnen, und dann rief Mrs. Sayers: „Mark? Mark?" Ihre Stimme klang wie sein glücklicher Schrei vorhin im Wäldchen: „Colonel! Colonel lebt!"

„Ja, ich bin es, Mark." Mark zog an der Tür.

„Nein, komm noch nicht herein. Warte, bis ich noch ein bißchen mehr Hafer auf mir habe. O Mark, du lebst! Wenn ich es nur so laut hinausschreien könnte, daß deine Mutter es hörte! Mark", sagte Mama jetzt mit veränderter Stimme, „lauf ins Haus und hol mir aus dem Kleiderschrank im oberen Schlafzimmer ein Kleid. Dieser Hafer rutscht ständig herunter, und der Tornado hat mir nichts auf dem Leib gelassen als mein Korsett. Ich werde mich in den Hafer vergraben, und dann kannst du mir das Kleid hereinbringen."

Mark sagte ihr nicht, daß ihr ganzes Dach weggeflogen war. Er lief.

Im oberen Stockwerk war überhaupt nichts außer Regenwasser, das in Pfützen auf dem Boden stand. In keinem Schrank waren mehr Kleider, weil nichts mehr eine Decke hatte – nur den großen schwarzen Himmel und das Sternenlicht.

Drunten in der Küche stöberte Mark durch Schrankschubladen und fand eine Schublade voller Handtücher. Da sie das einzige waren, das auch nur entfernt an Kleider erinnerte, zog er die ganze Schublade heraus und rannte damit zurück zum Kornkasten.

Mama hörte ihn. „Du kannst hereinkommen, ich habe mich ein bißchen eingegraben."

Mark stieg auf eine Kiste neben Mamas hohem Kornkastenbett, damit er ihr die Schublade hereinreichen konnte. „Ich habe

Handtücher gebracht, Mama. Oben ist nichts mehr, das Dach ist weg und alles andere auch."

„Auch alles aus den Schränken?" fragte Mama scharf.

„Alles. Die Handtücher unten in der Küche waren das einzige, was ich finden konnte. Geht das?"

Als Mark ihr die Schublade hinuntergab, rutschte der Hafer unter der schweren alten Frau weg, und ihre Beine schossen unter den Körnern hervor. Sie packte ein großes Handtuch, schüttelte es auseinander und legte es über sich. „So, jetzt ist es in Ordnung. Anständiger kann ich nicht aussehen."

Aber es war nicht in Ordnung, es war schrecklich – Mark hatte es gesehen. Ihre Beine waren ganz schwarz und blau, und schmutzig und geschwollen, und ihre nackten Arme auch.

Mama stützte einen Ellbogen auf die Schublade und betrachtete ihren Arm. „Wie rohes Fleisch", sagte sie bitter. „Wie rohes, schmutziges Fleisch. Kind, als der Wirbelsturm die Scheune über uns hochhob, schleuderte er mich in jede Richtung flach auf meinem Gesicht und flach auf dem Rücken über den Zementboden. Aber ich glaube, ich war selbst für den Tornado zu schwer, obwohl er mir alles weggerissen hat bis auf mein Korsett. Und dann kam Großvater irgendwie zu mir und hielt mich fest, und als dieser schreckliche saugende Wind aufhörte, schleppte er mich zu diesem Kasten und stemmte mich irgendwie hinein. Und das ist alles, was von mir übrig ist, ich und mein Korsett."

„Aber wir bringen dich mit dem Milchwagen aus unserer Scheune ins Krankenhaus. Und, Mama, ein Pferd ist gekommen, und damit schaffen wir es. Mr. Sayers macht ein Geschirr kleiner, weil Fee – das ist das neue Pferd – so schmal ist. Sie ist ein Reitpferd, aber sie wird den Wagen ziehen, und wenn wir zur Straße hinter der Farm kommen, werden wir das Krankenhaus anrufen und Mutter anrufen und mit ihr reden, und alles ... und alles wird gut."

Die alte Frau hörte zu, doch dabei grub und kramte sie in der Schublade. Dann zog sie ein Kärtchen mit Sicherheitsnadeln hervor und hielt es triumphierend hoch. „Dachte ich's mir doch", sagte sie. „In fast jeder Schublade im ganzen Haus habe ich Sicherheitsnadeln — ist das nicht gescheit von mir?" Doch sie seufzte schwer, und plötzlich lag sie ganz gerade da und drückte das Kärtchen mit den Sicherheitsnadeln in ihrer Faust zusammen.

„Also das hat er vor mit mir", brachte sie schließlich heraus. „Na, ich werde ihm sagen, daß mich niemand so schweineschmutzig ins Krankenhaus bringt, wie ich bin. Es ist schlimm genug, in Handtücher gewickelt zu kommen."

Sie versuchte, einen Scherz für ihn zu machen, Mark wußte es; doch er hatte die schrecklichen dicken Beine mit den knotigen und vorstehenden schwarzen Venen gesehen, und die Haut war ganz abgeschürft. Er konnte nichts sagen und keinen Spaß zurückgeben.

„Leide nicht so meinetwegen, Mark", sagte Mama. „Hör zu — wir können das schaffen. Der alte Mann wird eine Zeitlang beschäftigt sein, wenn er ein ganzes Geschirr kleiner machen muß. Du warst in unserer Küche — ist der Herd dort noch ganz?"

Mark nickte.

„Dann lauf und mach Wasser heiß. Es ist ein Ölherd, und die Streichhölzer sind in der Schublade über dieser Handtuchschublade. Wir haben hier genug Handtücher und Sicherheitsnadeln. Ich würde mich schämen, wenn ich so schmutzig in ein Krankenhaus käme, es ist schlimm genug, daß ich in Handtücher gewickelt dort erscheinen muß. Lauf. Bring auch Seife. Und einen ganzen Eimer voll heißem Wasser."

Der Herd war ganz, der Herd würde brennen. Mark stöberte in den Schränken und fand genug Töpfe, um auf allen Platten Wasser heiß zu machen. Er wurde ganz zapplig, so langsam ging das. Mr. Sayers hatte keine Ahnung, was hier geschah. Sollte er hinüberlaufen und es ihm sagen? Aber Mr. Sayers wollte ja kommen, sobald das Geschirr fertig war und er Fee vor den Wagen gespannt hatte.

Endlich begann das Wasser zu summen, und Mark schaltete die Brenner aus und leerte das dampfende Wasser in einen großen Eimer, den er sorgsam zur Scheune schleppte. „Ich habe das Wasser", rief er, damit Mama Bescheid wüßte und sich bereit hielt. Er schob mit seinem Rücken die Tür auf und kletterte mit seinem vollen Eimer auf die Kiste. Mama lag jetzt auf dem Hafer. Sie hatte das größte Handtuch wie eine Babywindel um sich gewickelt und festgesteckt, und ein anderes Handtuch wie einen Schal über ihre Schultern gelegt. Die Anstrengung hatte ihre Lippen schmal gemacht. Mark ließ den Eimer auf die Haferkörner herab und reichte Mama die Seife.

„Komm herein zu mir", befahl Mama. „Ich wasche meine Arme, aber du mußt die Beine waschen, ich bin zu schwach, um mich aufzusetzen. Du mußt, Mark – in einer Nacht wie dieser muß man seltsame Dinge tun. Komm, Junge, es muß sein." Sie seifte einen Waschlappen ein, wrang ihn aus und reichte ihn Mark.

Mama begann ihren Arm zu waschen, aber plötzlich legte sie sich einfach zurück. Mit dem Waschlappen in der einen Hand und der kleinen Taschenlampe im Mund begann Mark zaghaft das Bein der alten Dame zu waschen, aber nach dem ersten langen seifigen Zug rutschte der Waschlappen nicht mehr weiter. „Nein, mach weiter, Junge", befahl Mama mit fest geschlossenen Lippen. Sie knetete ihren Waschlappen in ihrer Faust, mit der anderen Hand hielt sie die Kante der Handtuchschublade umklammert und hob und drehte sie in ihren Schmerzen. „Weiter – es muß sein."

„Aber es geht nicht!" Mark heulte fast. „Ich habe nicht aufgehört, der Waschlappen war es. Das ist, als würde man einen Igel waschen. Du bist voller Spreißel. Mama, überall sind winzige, feine Spreißel, und sie bleiben am Waschlappen hängen – und alles ist ganz geschwollen und schwarz und schrecklich."

„Ich weiß, Kind. Meinst du, ich spüre es nicht? Aber deshalb muß es gesäubert werden, und deshalb müssen wir in dieses Krankenhaus gehen. Im Radio haben sie von Gasbrand gesprochen. Das passiert bei Wirbelstürmen. Feine, spreißelige Sachen, ganz schmutzig und ekelhaft, werden einem unter die Haut getrieben, und dann kommt es zu Gasbrand. Als Großvater es hörte und sah, daß er gar nichts tun konnte, bekam er solche Angst, daß ich ihn weggeschickt habe, um dich zu suchen. So konnte ich hier liegen und stöhnen, soviel ich wollte, ohne ihn um den Verstand zu bringen. Aber auch ich habe Angst, also muß es sein. Aber leide nicht so meinetwegen, Kind – ich leide, du wäschst. Und schau mich gar nicht an – mach dir nichts draus, wenn ich flenne, es hilft ein wenig."

Mit der Taschenlampe im Mund konnte Mark ihr nicht antworten, und das war ganz gut so. Nur kamen ihm Tränen in die Augen, und es war schwierig, sie über der Taschenlampe wegzuwischen. Der helle Lichtfleck zeigte es deutlich – Mamas Beine waren wie Igel, voller Splitter, so fein, so viele, so dicht, daß man nicht wußte, wo man anfangen sollte. Mark ließ den Waschlappen fallen und begann mit beiden Händen die Spreißel herauszuziehen. Es war ein schrecklicher Gedanke, und er war froh, daß er ihn mit der Taschenlampe im Mund nicht herausplatzen lassen konnte, aber es war, als rupfe er die Federn aus einem Huhn. Mutter ließ ihn das öfter tun, weil seine Finger klein und flink waren. Aber Stoppelfedern waren dick und fest im Vergleich mit Tornadosplitter, und diese hier waren nicht nur aus Holz – es waren sogar Spreißel von Stroh und kleinen Glasscherben und Metall, dünner als ein Haar. Mama stöhnte und schüttelte den Waschlappen in ihrer erhobenen Faust und machte zwischen den Zähnen zischende Laute. Mit jedem kleinen Splitter, den er aus dem geschwollenen Fleisch zog, ging die Schwellung etwas zurück. Mark beobachtete es mit schiefem, verzerrten Mund – das mußte das Gas vom Gasbrand sein, das herauskam.

„Das dauert ja die ganze Nacht", stöhnte Mama plötzlich. „Wasch mich einfach mit dem Lappen – ich werde die Schmerzen aushalten. Und dann lauf und hol Großvater mit dem Wagen – wo bleibt er nur die ganze Zeit? Los, Kind. Mach es jetzt! Wenn du mußt, dann mach die Augen zu, aber tu es."

Sie tauchte den Waschlappen in den Eimer und warf ihn triefend naß herüber. „Vielleicht rutscht er so ein bißchen besser", ächzte sie.

Mark war rasch fertig. Es war nicht sauber, aber Mama konnte es nicht sehen. „Alles sauber", sagte er.

Mama richtete sich auf und öffnete die Augen. Sie schaute ihn unbestimmt an, als kenne sie ihn nicht oder wüßte nicht, wo sie war.

„Ich glaube, ich bin ohnmächtig geworden", sagte sie undeutlich. „Du bist ein mutiger Junge. Lauf und hol den Wagen!"

Mark kletterte aus dem Kasten und rannte zum Tor. Wie er sie liebte! Sie war so tapfer! Er liebte sie voll Stolz – sie war mutiger als sieben Männer!

PLÜNDERER

Mark rannte den ganzen Weg zurück über das einzelne Feld und in den Keller seiner eigenen Scheune. Seine Finger krampften sich um die ausgeschaltete Taschenlampe. Er hatte ihr Licht so lange gebraucht, um den haarfeinen Schmutz in Mamas Beinen zu erkennen, daß es anfing, schwächer zu werden. Er durfte die Lampe jetzt nur noch für Sekunden einschalten. Immer noch hatte er ihren metallenen Geschmack auf der Zunge, und seine Kiefermuskeln waren verkrampft, weil er sie so lange im Mund gehalten hatte. Er spuckte aus und ließ schnell den Lichtstrahl durch die Dunkelheit wandern.

Colonel war in seiner Box. Mr. Sayers hatte die beiden anderen Riemen unter ihm festgenagelt. Am anderen Ende der Scheune stand Fee vor den Milchwagen gespannt. Doch Mr. Sayers war nicht in der Scheune. Mark wunderte sich, daß unter jedem Wagenrad eine Wasserpfütze stand.

Schließlich glaubte Mark zu wissen, warum. Der alte Milchwagen war so lange ungebraucht herumgestanden, daß seine Holzräder geschrumpft waren und die Bänder, die sie umgaben, locker saßen – so locker, daß sie sich lösen konnten. Wenn das geschah, würden die Räder auseinanderfallen und der Wagen mit Mama umkippen, und Mama würde sich noch mehr verletzen. Und jetzt holte Mr. Sayers sicher noch mehr Wasser, damit die Räder aufquellen konnten. Zufrieden damit, daß er es herausgefunden hatte, wartete Mark.

Colonel schlief auf seinen Riemen. Die Teilungswand ächzte, sie bog sich und knarrte im Rhythmus von Colonels Atem. Die Riemen halfen wirklich! Sein Einfall war richtig gewesen! Mark wollte Colonels Kopf streicheln und ihm, oh, so viel erzählen ... aber Colonel schlief, und Colonel brauchte den Schlaf. Also ging er statt dessen zu Fee und legte zärtlich seine Wange an die ihre. Fee reagierte nicht darauf, sie war immer noch vom Wirbelsturm verschreckt. Sie fuhr zurück, und der Wagen ruckte. Mark stand verloren da. Alles war so still – und wo blieb Mr. Sayers?

Plötzlich hörte er eine Stimme. Mr. Sayers sprach wohl mit sich selbst. Mark grinste. Aber dann hörte er einen Schrei, einen wütenden Schrei und das Geräusch von zersplitterndem Glas. Fee erschrak davon so, daß sie in panischer Angst scheute und dabei fast den alten Wagen gegen die Mauer rammte.

Mark packte ihre Zügel. Während er sie beruhigte, horchte er auf die Laute von draußen. Auf der Weide waren Stimmen zu hören, darunter die von Mr. Sayers. Mark wickelte Fees Zügel um einen Pfosten neben dem Wagen und knipste die Taschenlampe an, während er hinauslief auf die Weide.

Der Lichtstrahl brachte alles zum Schweigen. Dann rief Mr. Sayers: „Mark, bist du das? Komm schnell her und bring das Gewehr mit. Lade es im Laufen."

Mark brauchte einen Moment, bis er das rostige alte Gewehr im Schein der Taschenlampe gefunden hatte. Er stieß es auf den Boden, wischte die Spinnweben ab und rannte damit aus der Scheune. Mr. Sayers hatte gesagt: „Lade es." Wie? Womit? Er hatte jetzt keine Zeit zum Überlegen.

„Ich komme", schrie er. „Wo sind Sie?"

„Hier bei meinem Dach. Beeil dich, Junge."

Mark kam angerannt. Er drückte Mr. Sayers das Gewehr in die Hände.

„Ich habe vier von diesem Gelichter unter meinem Dach", erklärte er Mark. „In Ordnung", rief er dann. „Kommt alle heraus, aber hebt die Hände hoch."

Gegen die Schwärze des Daches waren sie kaum zu erkennen, doch dann nahm Mr. Sayers die Taschenlampe und beleuchtete sie. Aber Mark starrte hinunter auf ein großes Mädchen, das ausgestreckt vor Mr. Sayers' Füßen lag.

Mr. Sayers schüttelte den Kopf. „Das habe ich nicht tun wollen — so fest wollte ich sie nicht treffen. Die Laterne muß sie genau an der richtigen Stelle erwischt haben. Sie fiel um wie ein Sack nasser Kartoffeln ... aber sie war selber schuld. Die vier dort drüben haben sich unter meinem Dach versteckt, als sie meine Laterne sahen, aber sie ist direkt auf mich zugekommen und frech geworden. Ich war so wütend, daß ich mit der Laterne auf sie losgegangen bin. Dann stand ich natürlich im Dunkeln mit den fünfen, bis du das Gewehr gebracht hast. Plünderer! Das hat mir in dieser Nacht gerade noch gefehlt – Plünderer."

Ruhiger fuhr Mr. Sayers fort: „Die Bänder hielten nicht auf den Wagenrädern, noch nicht einmal, nachdem ich die Räder mit Wasser durchtränkt hatte. Da fiel mir ein, daß du gesagt hattest, alles mögliche sei hier auf die Weide geworfen worden. In der Scheune konnte ich keinen Draht mehr finden, also kam ich mit der Laterne heraus, um welchen zu suchen, und dieses miese Volk da sah mich. Sie schickten das Mädchen, um herauszufinden, was ich vorhatte. Weißt du, was sie gesagt hat? ,Wie geht's bei Ihnen voran? Wir haben einen ganzen Eimer voll Zeug und außerdem noch die Taschen voll.' Da hab ich's ihr gegeben –" Die Stimme des alten Mannes überschlug sich. „Mama liegt im Haferkasten, dein Vater im Krankenhaus, Menschen sind tot oder im Sterben – und die da haben einen Eimer voll!" Er trat gegen den Eimer, der neben dem Mädchen am Boden stand. Armbanduhren, Ringe und Armbänder fielen heraus.

Mr. Sayers schenkte dem Schmuck keinen Blick. „Nimm den Eimer", befahl er Mark, „während ich die andern mit dem Gewehr in Schach halte. Suche eine Pfütze – je schmutziger, um so besser, und dann komm zurück und schütte das Dreckwasser über sie, damit sie wieder zu sich kommt. *Taschen voll!*"

Mark lief zur ersten Wasserpfütze. Er wollte den Eimer Mr. Sayers geben, doch der alte Mann schüttelte den Kopf. „Nein, schütt es über sie. Ich habe das Gewehr auf die andern gerichtet."

Mark mußte es tun. Das Mädchen kam zu sich, es spuckte, würgte und schlug mit den Armen um sich. „Hast dich tot gestellt, wie?" sagte der Alte zornig. „Steh auf und stell dich zu den andern und halt die Hände hoch."

„Ist das Ihre Tochter?" fragte er die Frau. „Eine feine Methode, ein Mädchen zu erziehen."

„Wir wollten eigentlich gar nicht plündern", erklärte sie ihm. „Aber das Zeug lag da, und so haben wir es aufgehoben."

Mr. Sayers gab ihr keine Antwort. „Geh um sie herum", befahl er Mark. „Komm nicht zwischen sie und das Gewehr, bleib hinter ihnen, aber hole alles aus ihren Taschen – alles. Wir wollen ihnen eine Ahnung davon geben, wie man sich fühlt, wenn man ausgeraubt wird."

„Bei der Dame und dem Mädchen auch?" Mark war verlegen.

„Bei dem Mädchen vor allem", schnaubte Mr. Sayers. „Sie soll sich so billig und unanständig vorkommen, wie sie ist. Die Frau auch."

Zögernd nahm sich Mark als erstes den Mann vor. Er zog ihm eine Brieftasche aus der Gesäßtasche. „Das ist meine eigene Brieftasche", sagte der Mann.

„Prima", sagte Mr. Sayers. „Dann wissen Sie, wie das ist. Wirf sie in den Eimer, Mark. Jetzt durchsuchst du seine anderen Taschen und tastest ab, ob er was um die Taille gebunden hat."

Es war scheußlich, Leute abzutasten und in ihre Taschen zu fassen.

„Können wir nicht alles selbst auf den Boden werfen?" fragte einer der Männer. „Wir sind nicht bewaffnet, und vor einem Gewehr werden wir keinen Unsinn machen. Wir werden auf dem schellsten Weg nach Hause gehen, und ob Sie es glauben oder nicht, wir werden dort bleiben."

„Meinetwegen. Werfen Sie das Zeug in den Eimer, und dann verschwinden Sie hier so schnell wie möglich, bevor ich in Versuchung komme, eine Schrotladung auf Sie loszulassen."

Es klirrte im Metalleimer, als die fünf ihre Beute fortwarfen. Dann drehten sie sich schnell um und waren in der Dunkelheit verschwunden. Mr. Sayers beobachtete sie mit dem Gewehr in Anschlag. Mark brachte ihm den Eimer. Plötzlich klappte der alte Mann das Gewehr auf, um nachzusehen, ob Patronen darin waren, und stieß es dabei versehentlich an den Eimer. Es gab einen scharfen Knall, und die dunklen, rennenden Gestalten beschleunigten ihr Tempo. „Strahl sie mit der Taschenlampe an", sagte Mr. Sayers.

„Die Batterie ist fast zu Ende, sie leuchtet kaum noch", erklärte ihm Mark.

„Das wissen sie nicht. Laß nur jeden von ihnen das Gefühl haben, er sei die Zielscheibe einer Schrotladung."

Doch die hastenden Gestalten waren verschwunden, man hörte keinen Laut, und der alte Mann tat, als hätte es sie nie gegeben. Er warf das Gewehr auf den Boden, nahm den Eimer und ging zur Scheune. „Komm. Die fünf Plünderer hätten nicht ungelegener kommen können, aber so hatten wenigstens die Wagenräder Zeit, sich vollzusaugen und sich auszudehnen." Er lief mit langen Schritten über die Weide, aber er vergaß nicht den Draht. „Schau, ob du ein Stück Draht finden kannst – deine Augen sind jung, und die Taschenlampe müssen wir sparen, bis wir sie für Mama brauchen. Wie dumm von mir, die Laterne dem Mädchen auf den blöden Schädel zu schlagen!"

Überall lag Draht. Mark zog ein langes, gewundenes Stück hinter sich her, während er lief, um den alten Mann einzuholen. In der Scheune mußte er für Mr. Sayers Vaters Werkzeugkasten suchen. „Ich brauche noch eine Weile, um Draht zu schneiden und ihn um die Felgen zu wickeln – gib mir eine Zange." Mr. Sayers zog mit beiden Händen an einem der wackligen Räder. „Großer Josaphat! Der alte Wagen fällt gleich auseinander und sollte überhaupt nicht benutzt werden, aber wir brauchen ihn als Krankenwagen. Es ist wie mit deiner Fee – wir müssen sie nehmen, egal, was mit ihnen passiert."

Mr. Sayers arbeitete schnell mit dem Draht. Plötzlich sagte er: „Plünderer. Ich glaube nicht, daß diese fünf zurückkommen werden. Aber es wird andere geben, und mein Haus liegt weit offen unter dem Himmel. Kannst du eures abschließen? Ach, laß nur, wir werden es zunageln."

Sie verschwendeten kein Wort mehr. Sie arbeiteten. Dann waren sie fertig – besser schafften sie es nicht. „Wirf den übrigen Draht und den Werkzeugkasten in den Wagen, Mark." Mr. Sayers prüfte nichts, er führte einfach Fee und den Wagen aus der Scheune. Sie hielten an und schlugen drei Nägel in die Küchentür, dann machten sie sich auf den Weg über das Feld.

Vor der verschwundenen Scheune rief Mr. Sayers: „Mama, wir sind da mit einem Wagen."

„Ich bin soweit", rief Mama zurück. „Mehr kann ich nicht tun."

Der alte Mann steuerte den Wagen bis dicht vor die Tür des Kornkastens, dann nahm er Hammer und Zange und zog die Angeln aus der Tür.

Als die Tür abmontiert war, benutzten er und Mark sie als Rampe vom Kornkasten zum Wagen. Auf Händen und Knien schob sich Mama in ihrem Korsett und den zusammengesteckten Handtüchern darauf und kroch unter Schmerzen auf den Wagen. Bei jeder Bewegung gab sie entsetzliche Laute von sich. Aber als sie Marks verängstigtes Gesicht sah, versuchte sie zu lachen.

„Man könnte meinen, ich wäre ein gemästetes Schwein, das für den Markt verladen wird. Mark, wenn du je irgendwem, und sei es deiner Mutter, etwas davon erzählst, dann werde ich dich übers Knie legen, wenn ich zurück bin, und dich durchhauen."

„Ich werde bestimmt nichts erzählen", versprach Mark. Er wollte gern etwas sagen, was alles besser machte. „Mama, der Wirbelsturm war schlimm. Aber er hat Fee gebracht, und jetzt kann sie dich ins Krankenhaus fahren."

Mama verstand genau, was er meinte. Sie sah zu ihm auf. „Sicher, Schatz, sicher. Aber was ein Junge wie du in einer solchen Nacht durchmachen muß!"

Mark nickte.

Mr. Sayers zog die hintere Wagenklappe hoch. „Mama, die Matratze ist weicher als Haferflocken, aber hättest du es nicht bequemer, wenn du dein Korsett ausziehen würdest? Du kannst dich mit Leintüchern und der Decke zudecken."

Mamas Gesicht wurde grimmig. „Alter Mann, weißt du noch immer nicht, was dieses Korsett für mich bedeutet? Es ist das einzige, was mich noch zusammenhält. Ohne das Korsett wäre ich nichts als ein fettes, verängstigtes altes Weib, aber mit ihm bin ich immer noch ein Mädchen, mit dem man rechnen muß."

„Na gut, Mama. Aber es ist eine lange Fahrt, und es geht nicht über glatte Straßen. Schaffst du das – es wird wahrscheinlich eine lange Nacht voller Schmerzen."

„Wenn ich hier bleibe, habe ich auch Schmerzen und keine Hoffnung. Los, alter Mann, hinauf auf den Sitz mit dir, und bring das Pferd zum Laufen. Mark, du hältst meine Hand."

REISE INS NICHTS

Der Milchwagen rollte auf seinen wackeligen Rädern ruhig über den glatten Scheunenboden. Doch über die breite Schwelle rüttelte er heftig, obwohl Mr. Sayers das Fahrzeug vorsichtig durch das Tor lenkte. Mama preßte die Zähne zusammen und zitterte trotzdem vor Schmerz; sie warf beide Arme hoch und packte die Seiten des Wagens. Sie krachten – in ihrem Schmerz riß die alte Frau die oberen Kanten ab. Als der Wagen über der Schwelle war, hielt Mr. Sayers sofort an. Bei all ihren tapferen Worten über das Mädchen, das im Korsett steckte, war es schrecklich, was ein Geholper Mama angetan hatte. Und dabei sollte die ganze holprige Reise erst beginnen.

Der alte Mann stieg ab und ging zu seiner Frau. „Mama, das

kannst du nicht machen, egal, wie groß deine Schmerzen sind. Sonst bleiben wir besser hier." Seine Stimme war rauh vor Mitgefühl. „Du reißt diesen alten, verwitterten Wagen kaputt. Und was dann? Wenn der Wagen zusammenbricht, kannst du nicht auf einer Matratze im Feld liegen bleiben. Mark und ich können dich nicht zurücktragen. Und was soll werden, wenn es wieder anfängt zu regnen? Und wen sollen wir um Hilfe bitten, wo überall alles zerstört ist? So fahren wir in unseren Untergang."

Mama lag still und wartete, bis der Schmerz abklang, doch sie ließ die zerbrochenen Seitenteile des Wagens los. „Fahr weiter", sagte sie schließlich. „Hier würde ich genau die gleichen Schmerzen haben, vom Gasbrand ganz abgesehen. Wir fahren weiter, aber gib mir etwas, woran ich mich festhalten kann, wenn es wieder so rüttelt. Korsett!" rief sie. „Ich glaube, ich habe gebrochene Rippen unter dem Korsett – zum ersten Mal in meinem Leben hat es mich im Stich gelassen. Hol mir was zum Festhalten."

Mark richtete sich neben ihr auf. Er packte den schweren Werkzeugkasten seines Vaters, zwängte ihn zwischen die Matratze und die Seitenwand des Wagens und legte Mamas Hand auf den Griff. Dann schaute er sich nach etwas anderem um, sah den Eimer der Plünderer und drückte ihn an Mamas andere Seite. Sie packte den Eimerrand. „Das wird helfen", knirschte sie. „Etwas zum Kämpfen und etwas zum Festhalten. Los, alter Mann."

Doch der Scheunenhof war überschwemmt, und Mr. Sayers konnte nicht erkennen, was unter den schlammigen Pfützen lag. Der Wagen rumpelte über einen eingesunkenen Schweinetrog, der erst sichtbar wurde, als das schmutzige Wasser aufgewühlt war. Der schwere Werkzeugkasten widerstand Mamas heftigen Griffen, doch sie hob den ganzen Eimer mit der Beute hoch und schüttelte in ihren Krämpfen den Schmuck über sich.

„Was ist das?" fragte die alte Frau, überrascht von dem Geglitzer und Geklirre.

Mr. Sayers erklärte es, während Mark die verstreute Beute einsammelte.

„Plünderer!" rief Mama. „Und unser Haus liegt weit offen unter dem Himmel."

„Darin gibt es nicht mehr viel zu plündern – zumindest nicht im oberen Stockwerk", sagte der alte Mann bitter. „Selbst die Schränke sind ausgefegt und leer."

„Schaut!" schrie Mark und scharrte Uhren und Ringe, Armbänder und Ketten vom Boden des Wagens. „Schaut mal, Taschenlampen. Drei Stück – kleine. Sie haben auch ihre Taschenlampen in den Eimer geworfen."

„Gib mir eine und spar die anderen auf, damit ich die schlimmen Stellen vor dem Pferd ausfindig machen kann. Ich werde die Pfützen umgehen, wir müssen uns darauf verlassen, daß das nasse Gras die Räder feucht hält und sie weiter anschwellen läßt. Taschenlampen!" sagte er grimmig. „Sie wollten also gar nicht plündern, das Zeug lag einfach herum, und sie haben es ganz unschuldig aufgehoben ..."

„Laß das jetzt, fahr einfach", sagte Mama scharf. Dann schien ihr etwas einzufallen. „Mark, als du nach einem Kleid in meinem Schrank gesucht hast, war da ein Bord mit einer Hutschachtel darauf?"

„Ich weiß nicht", sagte Mark. „Nach Hüten habe ich mich nicht umgesehen."

„Nicht Hüte! In meinem Schrank hatte ich in einer Hutschachtel einen Zehn-Liter-Topf mit Groschen. Er war fast voll. Mein Leben lang habe ich Groschen gespart und sie in der Hutschachtel versteckt, weil Männer nie in Hutschachteln schauen – aber darin waren Groschen, die ich mein Leben lang gesammelt habe."

„Mama", sagte der alte Mann, „du hast nicht etwa den Verstand verloren, du fantasierst nicht etwa? Groschen? Wofür, um alles in der Welt?"

„Dafür, du alter Narr: für einen Wirbelsturm und ein Krankenhaus und ein neues Dach für unser Haus, und damit wir nicht im Armenhaus landen."

Der alte Mann hatte sich auf seinem Sitz umgewandt und betrachtete staunend seine Frau. Mark sprang vom Wagen und stürmte zum Haus.

Er fand die Hutschachtel auf dem Boden, aber er war nicht groß genug, um hineinzuschauen, und er konnte sie nicht von der Stelle bewegen. „Sie ist hier, sie ist noch hier", schrie er aus dem offenen Schrank hinaus in den Nachthimmel.

Augenblicke später kam Mr. Sayers die Treppe herauf. Er trug den Eimer mit der Beute. „Wir wollen die Groschen dazuschütten. In einem Eimer können wir das alles hoffentlich gemeinsam hinunterbekommen — wer weiß, wieviel zehn Liter Groschen wiegen?"

Sie stolperten unter der Anstrengung, den Eimer mit den Groschen zurück zum Wagen zu bringen, und brauchten beide alle Kraft, um ihn neben Mama zu stellen. Mama weinte. „Nein, fahr weiter", schluchzte sie. „Wenn ich meine Groschen habe, kann ich alles ertragen. Mark, sprich mit mir, erzähl mir alles, was du erlebt hast, sonst liege ich hier und heule."

Mark erzählte Mama alles, während der Wagen im Zick-Zack-Kurs über das Grundstück der Farm rumpelte. Der alte Mann saß vorgebeugt und knipste hin und wieder die Taschenlampe an, um den besten Pfad zu finden. Manchmal schüttelte Mama in ihren Schmerzen den schweren Eimer, aber sie hörte zu, nickte und hörte weiter zu, damit Mark nicht aufhörte zu reden. Plötzlich fielen Mark die Geldscheine ein, die er in seine Tasche gestopft hatte. Er grub sie heraus und legte sie in Mamas zitternde Hand. Sie krampfte ihre Finger darum, als der holpernde Wagen in die Spuren eines alten Wagenpfads rutschte.

„Ich habe den alten Pfad gefunden, auf dem wir immer Feuerholz aus dem Wäldchen geholt haben", rief der alte Mann. „Wenn jetzt die Räder halten, kommen wir in der Spur besser voran."

Mama ließ Mark die Taschenlampe anknipsen und betrachtete die zerdrückten Scheine. „Mark! Hundert-Dollar-Scheine – mindestens ein halbes Dutzend!"

„Es waren noch mehr", erklärte Mark. „Aber ich habe sie fallen lassen, und der Bach hat sie davongetragen."

Mama legte die zerdrückten Scheine um den Griff des Werkzeugkastens und schloß ihre Hand darüber. „Groschen in der einen Hand, Hundert-Dollar-Scheine in der anderen! Jetzt ist das eine Medizin, es bedeutet Hoffnung und alles. Aber jemand hat sein ganzes Geld verloren, und wir werden es – mit dem Eimer voller Beute – zurückgeben, sobald wir können. Der Wirbelsturm hat unsere Groschen zurückgelassen, und außerdem einen Wagen – wir haben Glück gehabt."

„Und Fee", sagte Mark eifrig. „Der Wirbelsturm hat Fee gebracht, und Fee bringt uns zum Krankenhaus. Wenn mein Vater wirklich Fee für mich gekauft hat und sie nicht einfach gelaufen kam – dann habe ich jetzt Colonel und Fee."

„Wenn er sie nicht gekauft hat, dann werde ich das tun mit meinen Groschen. Falls sie Fee verkaufen, werde ich sie für dich kaufen. Wir müssen sie behalten zum Dank für das, was sie für uns tut. Aber Mark, eigentlich sollte sie ‚Hoffnung' heißen."

Mark blieb beharrlich bei seiner Meinung. „Nein. Sie heißt ‚Fee', weil sie plötzlich wie eine Fee in Colonels Bach stand und Colonel noch am Leben war."

„Muß ich da hinten einen Streit schlichten?" meldete sich plötzlich der alte Mann. „Ihr redet, ihr zwei – streitet um den Namen eines Pferdes, das keinem von euch gehört. Seid still, ich glaube, ich höre Stimmen." Er hielt den Wagen an.

„Welche Gnade, wenn dieses Ding stillsteht", flüsterte Mama.

Mr. Sayers brachte sie zum Schweigen. Er saß aufrecht und steif. Fee hatte wachsam die Ohren aufgerichtet.

Mark beugte sich über die Seitenwand des Wagens. Es waren keine Stimmen – es klang wie eine einzelne Stimme, die aus einem Radio oder einem Telefon kam.

„Plünderer?" flüsterte der alte Mann. „Und wir haben das Gewehr weggeworfen."

Mark gab keine Antwort. Die entfernte, seltsame mechanische Stimme hatte wieder angefangen, aufgehört, und jetzt war in den dunklen Feldern ringsum kein Laut zu hören.

„Mark, wenn es Plünderer sind!" flüsterte Mama. Mark beugte sich über sie.

„Wenn sie kommen, dann setz dich auf den Eimer, setz dich auf die Groschen, bewege dich nicht und sage kein Wort. Ich werde ihnen sagen, du habest dein Bein gebrochen – alte Frauen können mit einem viel ehrlicheren Gesicht lügen als Kinder. Setz dich schon jetzt auf die Groschen." Mama schälte die Hundert-Dollar-Noten vom Griff des Werkzeugkastens und stopfte sie unter dem Leintuch vorn in ihr Korsett. „Jetzt können sie kommen", stellte sie fest.

Mr. Sayers oben auf dem Sitz sagte: „Mark, kriech rüber und suche in diesem Werkzeugkasten den größten und längsten Schraubenschlüssel, den du finden kannst, und gib ihn mir."

„Gib mir auch einen", befahl Mama.

Den Klauenhammer behielt Mark selbst.

Jeder umfaßte seine Waffe und wartete, aber die seltsame mechanische Stimme ertönte nicht, und aus dem waldigen Hintergrund der Farm schoben sich keine dunklen Gestalten. Schließlich schnalzte der alte Mann, und sie fuhren weiter auf das Wäldchen zu.

Es war so unheimlich und still, daß Mama einen Witz machen mußte. „Wenn du so warm auf diesen Groschen sitzt, brütest du vielleicht noch ein paar aus." Sie gab ihm einen Stups

mit ihrem Schraubenschlüssel. „Aber nicht zu viele, verstanden? Ich kann in meinem Korsett nichts mehr unterbringen."

Nervös kicherten sie zusammen; der alte Mann summte in seiner Kehle rauhe Warnlaute.

Der Wagen fuhr in die Dunkelheit unter den Bäumen und holperte über den unebenen Boden mit den bloßgelegten Wurzeln und herabgefallenen Ästen, denn der alte Mann wagte es nicht, seinen Weg mit der Taschenlampe zu beleuchten. Nichts geschah, man hörte keinen Laut. Dann kamen sie an den kleinen Bach, der hier flach war und kaum eine Uferböschung hatte.

Mr. Sayers fuhr die Wagenräder in den Bach. „Ein Wagen wie dieser kann einfach nicht ruhig laufen", sagte er. „Wir sind so laut wie ein Rudel quietschender Schweine. Wahrscheinlich haben sie uns sowieso gehört und beobachten uns und warten, bis wir zu ihnen kommen. Na gut, dann warten wir lieber, bis sie zu uns kommen – wenigstens wird das Bachwasser den Rädern gut tun."

Sie warteten und warteten. Die Stille unter den Bäumen bedrückte sie. „Ich zähle bis siebentausendfünfhundertfünfundsiebzig, damit ich nicht schreie", flüsterte Mama Mark zu.

Wie als Antwort kam eine Stimme ganz nahe aus der wartenden Dunkelheit. „Meinetwegen – wenn ihr auch Verstecken spielen wollt, dann bleibt, wo ihr seid, und rührt euch nicht. Wir kommen zu euch."

„Und wer sind Sie, daß Sie mich auf meiner eigenen Farm herumkommandieren?" fragte Mr. Sayers ärgerlich. „Wenn hier einer kommandiert, dann bin ich das. Und jetzt herunter von der Farm, oder ich schieße." Er hob tatsächlich die Rohrzange mit dem langen Griff an die Schulter, als wäre sie ein Gewehr.

In der Dunkelheit lachte jemand. Augenblicke später waren sie umstellt. Überall traten dunkle Gestalten hinter schützenden Baumstämmen hervor und kamen zum Wagen.

„Na gut. Nehmen Sie diese geladene Rohrzange herunter, bitte schön, Sie erschrecken uns zu Tode", befahl eine lachende Stimme.

Der alte Mann knurrte verärgert und legte die Rohrzange in Reichweite auf den Sitz. „Wenn ihr plündern wollt – es gibt hier nichts außer meiner schwerverletzten Frau. Ich versuche, sie ins Krankenhaus zu bringen", erklärte er widerwillig. Dann brüllte er: „Soldaten! Mama, Mark! Soldaten in Uniform – keine Plünderer. Endlich ist jemand zu Hilfe gekommen."

Mama antwortete nicht. Sie weinte, und Mark ließ seinen Hammer neben dem Eimer herunterrutschen. Es war, als würde sich der ganze Wagen mit ihm neigen.

„Schwerverletzt, wie? Ja, es stimmt, wir wollen hier helfen. Lassen Sie uns mal nachschauen. Aber in dieser Kutsche werden Sie nicht weit kommen."

Der alte Mann lachte trocken. „Haben Sie was besseres? Ein Wirbelsturm hinterläßt nicht viel zur Auswahl. Dieser alte Milchwagen ist seit Jahren außer Gebrauch, aber heute nacht wird er gebraucht. Wir hatten ein Pferd, also sind wir aufgebrochen."

Der Soldat schob ein tragbares Funksprechgerät, das ihm um den Hals hing, auf den Rücken, leuchtete mit einer großen Taschenlampe Mr. Sayers ins Gesicht, ging dann um den Wagen herum und ließ die Rückwand herunter. Mama blinzelte und starrte in das starke Lampenlicht. Mark beugte sich über sie. „Es ist ein Funksprechgerät. Das war diese Telefonstimme, die wir gehört haben. Er hat ein Funksprechgerät."

Mama wußte nicht, was ein Funksprechgerät war. Verwirrt und geblendet schaute sie um sich. Die anderen Soldaten unter den Bäumen kamen nicht näher – sicher deckten sie den großen Mann mit dem Funksprechgerät, falls etwas passierte.

Mit einem langen Schritt sprang der Soldat vom Bachrand auf den Wagen. Das Gefährt schwankte und neigte sich zur

Seite. Der Soldat sprang zurück. „Fahren Sie Ihre Arche lieber aus dem Wasser", befahl er dem alten Mann. „Wenn mein Gewicht noch dazukommt, gehen wir alle über Bord."

„Ich brauche das Wasser, damit meine Räder halten — die Drähte werden bald kaputt sein, wenn wir erst einmal auf eine Straße kommen — falls es noch eine Straße gibt."

„Haben Sie noch Draht?" fragte der Mann.

„Jede Menge für den Fall, daß wir noch etwas brauchen."

Der große Soldat — er war wohl der Feldwebel — wandte sich an seine Männer. „Wickelt mehr Draht um diese Räder, alle paar Zentimeter, bis der Draht alle ist", befahl er.

Vier Soldaten kamen näher. Mark stieß mit seinem Fuß den Werkzeugkasten über die Matratze zu dem Feldwebel. „Da drin ist alles mögliche Werkzeug."

Der Wagen ächzte aus dem Bach. An jedem Rad machte sich ein Mann an die Arbeit, band, drehte und schnitt Draht. „Wir sind stolz auf euch", sagte der große Feldwebel. „Wenigstens ihr drei versucht euch selbst zu helfen. Die meisten können es nicht — so viele sind tot oder verletzt, und die andern sind verstört und verwirrt. Aber ich nehme an, auf einen Wirbelsturm kann man sich nicht vorbereiten."

Er kletterte in den Wagen, schaute auf Mama herab, die unter ihrem Leintuch lag, und grinste über den Schraubenschlüssel in ihrer Hand. „Es hat Sie erwischt, aber so ohne weiteres wollten Sie nicht aufgeben, nicht wahr? Oma, Sie sind ein prächtiges Mädchen. Komm, Kleiner, steig lieber ab, während ich deine Großmutter untersuche."

Mark schaute Mama an und rührte sich nicht.

„Junge, das ist ein Befehl", bellte der Feldwebel. Aber er wartete nicht. Er zog das Leintuch von Mama. Dabei rollten ein paar Ringe und andere Dinge, die sich in den Falten verfangen hatten, über den Wagenboden und funkelten im Schein der Taschenlampe. Sofort änderte sich alles und wurde schlimm.

„Hoch von dem Eimer!" brüllte der Feldwebel. Zugleich zerrte er Mama den Schraubenschlüssel aus der Hand. Die Taschenlampe beleuchtete den Eimer voll Groschen. Die vier Männer an den Rädern schauten auf.

„Das Pferd also ist verbunden und angeblich verletzt, die alte Frau wird auf einer Matratze zur Schau gestellt, aber das Kind sitzt auf einem Eimer voll Groschen und Diebesbeute!"

„Das ist auch ein verflixt gutes Reitpferd, Feldwebel. Kein Gaul, den man vor eine Kutsche wie diese da spannt. Dieses Pferd hat Klasse."

„Früher haben sie Pferdediebe am nächsten Baum aufgehängt", sagte der Feldwebel grimmig. Hoch aufgerichtet stand er im Wagen und schaute auf Mama und Mark herunter. Zwei Soldaten standen neben Mr. Sayers.

Die Dinge hatten eine so verblüffende Wendung genommen, daß die beiden alten Leute sprachlos waren. Doch Mark fühlte plötzlich eine flammende Empörung über das, was sie von Fee gesagt hatten. „Sie ist mein Pferd", schrie er zu dem großen Mann hinauf. „Und außerdem ist sie verletzt, sie hat eine böse Wunde, aber wir haben sie anspannen müssen, obwohl mein Vater sie mir gerade zum Geburtstag geschenkt hat. Mein Vater ist im Krankenhaus, und Mrs. Sayers muß dort auch hin. Dieses Zeug war die Beute, die wir den Plünderern weggenommen haben, die unsere Farm ausrauben wollten — das ist es, und wir werden es zurückgeben mit dem Geld, das ich gefunden habe. Aber die Groschen gehören Mama, sie hat sie ihr Leben lang gesammelt. Ich habe mich daraufgesetzt, weil wir dachten, ihr seid auch Plünderer."

„Das ist eine tolle Geschichte", sagte der große Feldwebel. „Junge, das klingt so verrückt, daß ich dir glaube."

„Wir haben die Plünderer auf unserer Farm mit einem leeren Gewehr gestellt", sagte Mark, immer noch wütend. „Wir haben ihnen alle Beute abgenommen und sie gezwungen, das Zeug in den Eimer zu werfen – wir haben ihnen sogar die eigenen Brieftaschen weggenommen." Er schlug sich mit der Hand auf den Mund, aber es war zu spät. „War das falsch? Ihnen die eigenen Brieftaschen wegzunehmen?"

„Falsch? Kind, das ist prächtig. Großartig! Plündert die Plünderer. Das ist die erste gute Nachricht, die ich in dieser Nacht gehört habe – plündert die Plünderer."

Er stand breitbeinig in dem kleinen Wagen, warf den Kopf zurück und lachte. Die Männer drunten lachten. Dann lachten alle. Mark sank erleichtert in sich zusammen.

„Das müssen wir uns merken – der einzige gute Grund zum Lachen heute nacht", sagte der Feldwebel und kniete sich neben Mamas Matratze. „Jetzt wollen wir uns das mal anschauen." Er beleuchtete mit seiner Taschenlampe die zerquetschten, stacheligen Beine. „Du meine Güte, Großmutter! Das kann man höchstens noch mit einem Igel vergleichen, den ich hier in eurem Wäldchen gesehen habe." Er pfiff durch die Zähne. „Und das haben Sie auf einem rumpelnden Wagen ausgehalten! Ich werde Ihnen eine Spritze geben, dann merken Sie nichts mehr vom Rest der Reise, spüren nichts mehr. Und wenn Sie wieder zu sich kommen, werden Sie in einem Bett im Krankenhaus liegen. Wie ist das denn unter Ihrem Korsett und den Handtüchern?" Ohne um Erlaubnis zu fragen, machte er sich an den Korsettschnüren zu schaffen.

Mama packte den Schraubenschlüssel. „Wenn Sie mich aufhaken, schlage ich Ihnen das hier auf Ihren unverschämten Kopf. Wie hat man Sie bloß erzogen? Und noch dazu vor einem Kind! Lassen Sie mein Korsett in Ruhe, mir geht's gut darunter – ich glaube, ich habe ein paar gebrochene Rippen, aber das Korsett hält sie zusammen. Und Sie stechen weder eine Spritze noch sonst was in mich!"

Der große Mann lachte. „Na gut, genieren Sie sich ein bißchen – es hat heute nacht viele gegeben, denen noch nicht mal mehr ein Korsett geblieben ist ..." Bevor Mama wußte, was geschah, hatte der Feldwebel seine Spritze in sie hineingejagt. „Jetzt bleiben Sie schön ruhig liegen und schlafen ein."

Mama murmelte etwas, doch der Feldwebel wandte sich an Mr. Sayers. „Kennen Sie die Masonstraße? Es ist die dritte jenseits der Farm. Es ist ein Kiesweg, und er windet sich wie ein Fluß, aber er ist frei bis zur Stadt. Wir haben Ihre Räder mit Draht umwickelt, trotzdem wird es besser sein, wenn Sie bis zur Masonstraße über die Wiesen fahren — ich bezweifle, ob sonst die Räder halten. Aber unsere Krankenwagen benutzen die Straße auch. Wenn Sie dort angekommen sind, stellen Sie Ihren Wagen quer über die Fahrbahn, geben mit der Taschenlampe Zeichen und halten einen Krankenwagen an. Sonst fahren sie an euch vorbei."

„Gibt es nicht irgendwo ein Telefon?" fragte Mr. Sayers. „Wir sollten das Krankenhaus anrufen — Marks Mutter ist dort."

Der Feldwebel schüttelte den Kopf. „Halten Sie einen Krankenwagen an und fahren Sie mit. Mark kann Pferd und Wagen zurückbringen — ihn lassen sie sowieso nicht ins Krankenhaus. Mark, du hast doch keine Angst, allein zurückzufahren?"

„Ich habe keine Angst", versicherte Mark. „Wenn ich meinen Vater sowieso nicht sehen kann ... Ich werde zu Hause auf Mr. Sayers warten."

„Feldwebel, was machen wir mit den gestohlenen Sachen und den Groschen?" fragte einer der Männer neben dem Wagen. „Das Kind allein wäre für Plünderer eine leichte Beute."

„Wir vergraben das alles hier", entschied der Feldwebel, „und markieren die Stelle."

„Das ist nicht nötig", sagte Mr. Sayers. „Auf dieser Farm kenne ich jeden Zentimeter. Ich werde die Sachen ausgraben und das Diebesgut und das Geld zur Polizei bringen, wenn sich alles wieder beruhigt hat."

Einer der Soldaten holte einen kurzen Spaten aus seinem Gepäck. In der weichen Erde neben dem Bach gruben sie ein Loch.

„Und wenn es regnet, und der Bach wieder steigt?" fragte Mark.

„Die Brieftaschen der Plünderer und alle Uhren werden dann naß."

„Schade, was?" sagte der Feldwebel. Aber er nahm Marks Regenmantel vom Wagen und wickelte den Eimer hinein.

„So, Mama", spaßte er dann, „wenn wir den Eimer jetzt noch in Ihr Korsett schnüren könnten, dann käme keiner dran."

Mama gab keine Antwort. „Gut", sagte der Feldwebel. „Sie ist weg wie Schnee im April. Fahren Sie, so weit Sie können, Pa, bevor sie wieder zu sich kommt. Wir müssen auch weiter. Die Nacht bringt Arbeit ohne Ende, es gibt kaum einen Fleck, an dem der Wirbelsturm nicht gewesen ist, und er hat gewiß nichts Gutes hinterlassen."

„Danke für alles", sagte Mr. Sayers. „Dank Ihnen und Ihren Männern."

„Viel Glück also", sagte der Feldwebel und sprang vom Wagen. Mit seinen vier Männern verschwand er in der Nacht.

Der Wagen quietschte weiter durchs Wäldchen.

OHNE SATTEL

Kaum waren sie losgefahren, da stieß der Wagen gegen eine vom Regen freigewaschene Wurzel; die Vorderräder holperten darüber, doch der ganze Wagen ächzte und krachte. Mr. Sayers brachte Fee zum Halten, bevor die Hinterräder über dieselbe Wurzel schlagen konnten. Er schaute zurück und schüttelte den Kopf. „Mama spürt das jetzt nicht, aber noch ein paar solche Stöße, und diese ganze Geschichte fällt auseinander. Was ma-

chen wir dann? Mark, sie braucht dich jetzt nicht, komm herauf
zu mir auf den Sitz, meine alten Augen sehen nicht mehr genug,
und diese alberne kleine Taschenlampe nützt überhaupt nichts."

Mark kletterte auf den Sitz neben dem alten Mann, doch Mr.
Sayers war inzwischen etwas anderes eingefallen. Er wendete
den Wagen, und sie fuhren den Weg zurück, den sie gekommen
waren. „Ich muß den Feldwebel finden", murmelte der alte
Mann, „und versuchen, seine große Taschenlampe zu bekommen."

Der Soldat war nicht schwer zu entdecken. Er stand allein in
dem Feld jenseits des Wäldchens und gab mit dem Funksprechgerät Befehle und Richtungen durch. Die vier Soldaten hatten
sich weiter entfernt über das Feld verteilt.

Als er den Wagen hörte, wandte der Mann sich um und leuchtete mit seiner großen Taschenlampe.

„Feldwebel", rief Mr. Sayers, „ich bin mit diesem Wagen an
eine Baumwurzel gestoßen, und er ist fast auseinandergefallen.
Könnten wir Ihre Taschenlampe haben? Mit unserer kleinen
kann ich die Löcher und Buckel nicht erkennen. Und außerdem
habe ich mir überlegt . . . Wäre es nicht schrecklich, wenn wir es
bis zur Masonstraße schaffen würden und die Krankenwagen
dann unsere kleinen Spielzeuglampen nicht sehen könnten und
uns überfahren würden?"

Der Feldwebel lachte. „Das haben Sie sich gut ausgedacht,
um meine Taschenlampe zu bekommen." Er kam zum Wagen.

„Eigentlich denke ich dabei an Mark. Er muß allein zurück
in ein leeres Haus."

„Ich hab keine Angst", widersprach Mark. „Nicht, wenn Fee
dabei ist und wir zurückgehen zu Colonel. Wenn ich mich im
Haus fürchte, dann bleibe ich bei ihnen in der Scheune."

„Braver Junge!" sagte der Feldwebel. „Bloß nimm sie nicht
mit ins Wohnzimmer." Lachend übergab er seine Taschenlampe
und nahm dafür die winzige von Mr. Sayers. „Mir hilft die auch

nichts, aber ich nehme sie, bis ich eine andere finde. In einer Nacht wie dieser findet man so gut wie alles, sogar einen Eimer voll Groschen."

„Machen Sie keine Witze über Mamas Groschen. Mit ihrer Hilfe kommt wieder ein Dach auf unser Haus, und vielleicht können wir uns damit ein Bett kaufen – wenn nicht, dann schlafen wir im Kornkasten."

„Machen Sie sich keine Sorgen, man wird Ihnen helfen", versicherte der Feldwebel. „Das Rote Kreuz ist schon in Stanton. Bald kommt alles wieder in Ordnung. Jetzt machen Sie sich besser auf den Weg, damit Mama nicht vor der Masonstraße wach wird. Ihre Frau ist wirklich ein tapferes Mädchen. Sie hat kein bißchen geklagt, aber bevor ich ihr diese Spritze gab, muß sie durch die Hölle gegangen sein. Ich hätte ihr am liebsten noch eine zweite Spritze gegeben, aber mit diesen Dingen kenne ich mich nicht genügend aus. Je schneller Sie zu einem Krankenwagen kommen, um so besser."

„Feldwebel", sagte Mark, „könnten Sie Fee eine Spritze in ihr Bein geben? Sie hinkt so sehr."

Der große Mann schüttelte den Kopf. „Alles, was ich tun könnte, wäre, sie einzuschläfern. Dann legt sie sich einfach auf die Erde. Du mußt die Männer im Krankenwagen fragen, sie sind Sanitäter. Vielleicht haben sie etwas, was den Schmerz lindert. Wenn sie können, helfen sie dir sicher. Sowie ich mit einem Krankenwagen Kontakt habe, werde ich über das Funksprechgerät darum bitten."

„Aber angenommen, Fee bleibt für immer verkrüppelt?"

Der große Mann lächelte zu ihm herunter. „Und angenommen, Mama kommt nicht ins Krankenhaus, angenommen, Mr. Sayers erfährt nichts über deinen Vater, angenommen, er bekommt deine Mutter nicht zu sehen, ‚angenommen' . . ."

Mark grinste mühsam. „Na gut, ich habe verstanden. Auf mit dir, Fee."

Mr. Sayers gab ihm die Taschenlampe. „Du leuchtest voraus und suchst den besten Weg über das Feld. Wenn ich zurück komme, werden wir Fee gründlich verarzten. Ich bin ein alter Pferdekenner, habe mein Leben lang Pferde gezüchtet und sie auch verarztet – daher auch der Hafer im Kornkasten."

Hafer! Mutter hatte welchen für Colonel mitbringen wollen, doch statt dessen war der Wirbelsturm gekommen. Jetzt stellte sich heraus, daß Hafer im Kornkasten war. Er würde Colonel stärken und vielleicht helfen, daß Fees Wunde verheilte.

Im Zick-Zack-Kurs zogen sie über die Felder und mußten jetzt bald zur Masonstraße kommen. Mama schlief noch, und der Milchwagen rollte ruhig durchs Gras. Hier war der Wirbelsturm überhaupt nicht gewesen. Dann zeigte sich im Schein der Taschenlampe weit voraus ein grauer Streifen. „Die Masonstraße", schrie Mark.

„Das wurde auch Zeit", sagte der alte Mann.

Und dann waren sie auf der Kiesstraße. Fee ruhte sich aus und Mark sprang herunter, um nach ihrem verbundenen Bein zu schauen. Mr. Sayers kletterte steif vom Wagen und untersuchte es ebenfalls. Der Verband hielt noch, aber darüber war das Fleisch aufgedunsen und geschwollen. „Das kommt von dem engen Verband – aber er muß so sein. Sowie ich zurückkomme werden wir den Verband abnehmen, aber solange du allein mit ihr bist, darfst du ihn nicht anrühren, egal, wie schlimm die Schwellung wird. Wenn Fee Schmerzen hat, schlägt sie aus wie ein Maultier. Verstanden?"

Mark nickte. Er konnte es kaum ertragen, daß Fee Schmerzen hatte.

Sie standen lange Zeit, und nichts bewegte sich auf der Straße. Niemand kam. „Der Feldwebel hat gesagt, daß wir vielleicht lange warten müssen – wir sind nicht die einzigen", warnte Mr. Sayers den Jungen. Doch schließlich wurde er selbst ungeduldig. Plötzlich hielt er es nicht mehr aus. „Und wenn stundenlang kein Krankenwagen kommt und Mama wach wird und wir immer noch den weiten Weg bis ins Krankenhaus vor uns haben? Geh du mit der Taschenlampe hinten in den Wagen. Leuchte damit von Rad zu Rad und gib acht auf die Drähte. Wir werden anhalten, bevor der letzte durchgescheuert ist, aber zumindest tun wir etwas, statt einfach hier zu stehen. Der Feldwebel hat gesagt, diese Straße sei frei, also brauche ich vor mir kein Licht. Du richtest es auf die Räder und beobachtest sie so scharf wie ein Falke."

„Aber womit fahre ich zurück, wenn keine Drähte mehr um die Räder sind?"

„Hast du schon mal ein richtiges Reitpferd ungesattelt geritten?" Mark schaute ihn überrascht an. „Ja, ja, das habe ich. Ich habe es nie jemandem erzählt, aber auf meinem Schulweg ist ein Haus mit einem Hof für das Reitpferd der Leute. Ich habe ihm immer Zucker gegeben. Und einmal bin ich über den Zaun geklettert und aufgesessen. Das Pferd hat mich abgeworfen. Ich bin daruntergefallen, und es ist einfach über mich hinweggegangen und dann zurückgekommen, um mich zu beschnuppern. Da ist es mir eingefallen – ich habe ihm ein Stück Zucker gegeben, und das Pferd hat mich wieder aufsitzen lassen. Und dann sind wir geritten und geritten. Ich bin zu spät in die Schule gekommen, aber es hat sich gelohnt."

„Es hat dich abgeworfen, und du bist wieder aufgesessen! Junge, dir wird mit Pferden nichts passieren! Schau mal, wenn du Fee zurückreitest, ist das für sie viel einfacher, als wenn sie den Wagen ziehen muß. Dieser Wagen ist nicht wichtig, wir lassen ihn am Straßenrand zurück, wenn der Krankenwagen kommt."

„Und Vaters Werkzeugkasten?"

„Den verstecken wir hinter Büschen im Graben. Jetzt steig auf und gib acht auf die Räder."

Während Mr. Sayers noch sprach, brauste etwas heran – ein

Krankenwagen raste aus der Nacht, und sie hatten die Straße nicht mit dem quergestellten Wagen blockiert. Mark winkte mit der Taschenlampe, aber der Krankenwagen schoß vorbei. Mr. Sayers stöhnte. „Ich hätte einen Tritt verdient dafür, daß ich so ein Superkluger bin und es besser weiß als der Feldwebel."

Sie fuhren weiter die Straße entlang, langsam und vorsichtig, weil Fee lahmte. Mark stand hinten im Wagen und beleuchtete nacheinander die Räder und Fees krankes Bein. Es machte ihm Angst, aber er fürchtete sich auch, Mama anzuschauen, die da lag und aussah, als wäre sie tot. Es war ihm klar, daß sie das Krankenhaus erreichen mußten.

Die Stahlränder der Räder gruben sich in den Kies. Dann kam das erste scharfe Ping, mit dem der festgewickelte Draht brach und abfiel. Nach dem ersten brachen auch die andern. Schließlich sagte Mark: „Wir müssen halten."

Der alte Mann sah sich um. Ein Radbeschlag löste sich. Er brachte Fee zum Halten. Man hörte keinen Laut, nichts rührte sich. Die wenigen Abendsterne waren verschwunden. Der alte Mann schnalzte Fee zu und fuhr den Wagen quer in die Straße. Sie warteten.

Stunden schienen vergangen, bis ein weit entferntes Motorengeräusch zu hören war. „Jetzt mußt du die Taschenlampe im Kreis schwenken und auf und ab. Wenn sie rechtzeitig bremsen wollen, müssen sie uns schon weitem sehen. Mach dich darauf gefaßt, abzuspringen, wenn ich in den Graben fahren muß."

Dann war für nichts mehr Zeit. Der Krankenwagen raste auf sie zu, bremste quietschend und schleuderte auf dem Kies. Einen Augenblick lang sah es zum Fürchten aus, dann sprangen zwei Männer heraus. Bis Mr. Sayers vom Sitz gestiegen war, hatten sie schon die hintere Wagenklappe geöffnet.

„Gut", sagte einer der Männer. „Sie liegt auf einer Matratze. Wir nehmen die Matratze und alles, weil wir nur noch auf dem Boden Platz haben."

„Ihre Frau?" fragte der andere. „Dann setzen Sie sich zu ihr
auf den Boden und halten sie ruhig, so gut sie können. Wir haben einen Schwerverletzten im Wagen — eine ganze Kirche
stürzte über ihm zusammen. Und was ist mit dem Jungen?"

„Er geht zurück. Mark, sobald du an eine ebene Stelle
kommst, spannst du den Wagen ab und läßt ihn stehen. Laß Fee
ihr Geschirr — wenn ihr Bein nicht mehr mitmacht und sie fällt,
hast du etwas zum Festhalten ...

Meine Frau hat vor einiger Zeit eine Spritze bekommen, der
Feldwebel meinte, vielleicht braucht sie eine zweite."

Der Sanitäter schüttelte den Kopf. „Nein, wir warten lieber,
was die Ärzte sagen. In ein paar Minuten sind wir im Krankenhaus."

„Oh, bitte", sagte Mark, „könnten Sie nicht Fee die Spritze
geben, wenn Mama sie nicht braucht? Wir haben einen langen
Heimweg, und sie lahmt stark."

„Fee? Ach, das Pferd."

„Könnten Sie das tun?" drängte Mr. Sayers. „Mark hat sie
noch nie geritten, und wenn sie wild wird vor Schmerzen ...
würde sie dadurch nicht ruhiger?"

Der Mann zuckte die Achseln. „Ich bin kein Pferdedoktor,
aber vielleicht beruhigt es sie wirklich."

Mark hielt Fees Kopf, während der Mann ihr die Nadel ins
Bein stach. Er stieß sie in einem Kreis um die geschwollene
Stelle.

„Damit sollte es ihr besser gehen. Viel Glück, Junge. So ver-
rückte Dinge tut man in einer Nacht wie dieser — Pferdedoktor!"

Er sprang zurück in den Krankenwagen. Mr. Sayers saß schon
neben Mama. Der Krankenwagen schoß davon, entschwand
Marks Blick; er war allein mit Fee.

Er fuhr sie den grasbewachsenen Straßenrand entlang. Als sie
an ein Gebüsch kamen, hielt er an, holte den Werkzeugkasten

und versteckte ihn hinter dem Gebüsch. Dann führte er Fee weiter – der herrenlose Wagen sollte den Werkzeugkasten nicht verraten. Aber er ging nicht weit. Es beunruhigte ihn, daß Fee so müde und schwerfällig lahmte. Er spannte sie aus und legte die Taschenlampe auf den Wagensitz, damit er sie erreichen konnte, wenn er aufgesessen war.

Sie gingen am grasigen Straßenrand entlang, bis endlich die Wagenspuren auftauchten, die aus dem Feld herausführten. Jetzt würde er sich nicht mehr verirren. Er konnte den Rückweg mit Hilfe der Spuren finden, die von den Wagenrändern ins Gras gedrückt worden waren.

Es war so still, so einsam. Aber er hatte eine Taschenlampe, und wenn sie nach Hause kamen, wartete Colonel auf sie, und sie würden zu dritt in der Scheune beisammenbleiben, bis Mr. Sayers kam. Daran zu denken, war besser, als sich zu überlegen, wer sich auf den stillen Feldern herumtreiben könnte. Jetzt hatte er nur noch eine Straße zu überqueren, dann mußte er über die Farm der Sayers und das einzelne Feld, und dann würde Colonel von der Scheune her ein Willkommen wiehern, weil er Fee hörte.

Es kam ihm vor, als habe diese ganze Nacht – alles, was sie miteinander durchgestanden hatten – Fee zu seinem Pferd gemacht. Schließlich hatte er sogar dem Feldwebel erklärt, sein Vater habe ihm Fee zum Geburtstag geschenkt, und der große Mann hatte das nicht bezweifelt. Es mußte stimmen.

Vielleicht sagte im Krankenhaus Vater als erstes zu Mutter: „Hast du das Pferd gefunden, das ich für Mark gekauft habe? Ich habe es im Wäldchen versteckt."

Und dann kam über die dunklen Felder schwach die Stimme des Funksprechgeräts. Er horchte angestrengt, aber er mußte sich das eingebildet haben. Da war nichts als Stille.

Plötzlich verlor Mark seine Sicherheit. Angenommen, der große Feldwebel war auf einer Farm irgendwo an der Straße, und ein Mann dort sagte: „Ich habe mein Pferd verloren. Es ist im Wirbelsturm davongelaufen. Es ist ein Reitpferd, eine braune Stute, haben Sie sie vielleicht gesehen?"

Und der Feldwebel antwortete: „Ein braunes Pferd mit einem Stern auf der Stirn?"

„Das ist sie", würde der Mann sagen.

„Komisch, wir haben ein solches Pferd gesehen, es zog einen ganz närrischen kleinen Wagen. Es paßte irgendwie nicht zusammen – das Pferd war zu edel. Aber der Junge sagte, er habe es gerade zum Geburtstag bekommen. Na, wenn das Ihr Pferd ist, dann können Sie es leicht finden. Die Farm liegt an der Stanton-Straße. Der Mann sagte, der Wirbelsturm habe sie soweit verschont – es wird eine der wenigen unversehrten sein. Versuchen Sie es doch. Es könnte Ihr Pferd sein."

Mark schauderte und war froh, daß er den Wagen auf der Straße zurückgelassen hatte. Er sah nach vorn. Vielleicht suchte der Mann in diesem Augenblick nach Fee.

Das alles war ihm nur eingefallen, weil er sich eingebildet hatte, das Funksprechgerät zu hören, aber jetzt war es so wirklich wie die Nacht. Er würde Fee nicht nach Hause in die Scheune bringen. Er würde mit ihr ins Wäldchen gehen – das würde er tun. Er wollte sie in die Senke bringen zu der Gabelung, die Colonel festgehalten hatte. Niemand würde sie dort in der Dunkelheit sehen – sie war auch dunkel. Aber er wollte bei ihr bleiben. Er würde bleiben, bis Mr. Sayers kam. Mr. Sayers würde es nicht zulassen, daß ihm jemand Fee wegnahm. Vielleicht hatte er bis dahin auch von Vater erfahren, daß Fee wirklich ein Geburtstagsgeschenk war.

Mark beugte sich vor und flüsterte in Fees Ohr. Zusammen gingen sie leise durch die tiefe Dunkelheit zu den Bäumen ihres Wäldchens auf ihrer Farm.

DRUNTEN IN DER SENKE

Sie kamen in ihr Wäldchen, und unter den mächtigen Bäumen war eine traumhafte Stille. Nur der kleine Bach murmelte sanft blubbernde Laute vor sich hin. Mark führte Fee ins Wasser, damit sie vor dem Weg in die Senke und in die Gabelung des ausgerissenen Baumes noch einmal trinken konnte. Er freute sich über ihren langsamen, leichten Gang, dem kein Lahmen mehr anzumerken war. Der gute Sanitäter im Krankenwagen mußte Fee wirklich geholfen haben mit den Spritzen, die er in ihr Bein gegeben hatte – einen Ringblock hatte er es genannt. Das Bein war zwar immer noch arg geschwollen, aber Mr. Sayers hatte gesagt, er dürfe den Verband nicht anrühren oder gar lockern.

Es mußte weit nach Mitternacht sein. Dann hatte er also schon Geburtstag. Es war der Morgen seines Geburtstags, aber hier war es, als sei es Fees und Colonels Geburtstag – ihr gemeinsamer, weil alles für sie alle so gut ausgegangen war.

Wo die tiefe Senke begann, hielt Mark Fee an und stieg ab. Er löste ihre aufgewickelten Zugleinen und führte sie über den vom Wirbelsturm verwüsteten Boden in das Gewirr umgedrehter Bäume. Jetzt war nichts mehr zum Fürchten, alles wirkte müde und schläfrig und traumhaft. Mark öffnete den Mund zu einem langen, anhaltenden Gähnen. Fee warf den Kopf hoch und starrte ihn mit weit aufgerissenen Augen an. Er führte sie sorgsam um jedes Hindernis, und langsam überstiegen sie die Baumstämme.

Plötzlich war Fee nicht mehr verträumt. Etwas schien sie zu erschrecken, über ihr Fell lief ein Schauder wie damals, als er sie im Bach gefunden hatte. Mark sprach ihr leise zu, während er sie in die Gabelung des großen Baumes führte – die Gabelung verengte sich, bis kein Raum mehr war, und würde sie, wie zuvor Colonel, daran hindern, ihr Gewicht auf das verletzte Bein zu verlagern.

Mark mußte Zweige zur Seite schieben, die wieder zurückgeschnellt waren, nachdem Colonel sie zu Boden getreten hatte. Jetzt war nur noch der dickste Ast übrig, der nachher hinter Fee das V der Gabelung schließen würde, als wäre sie in einer Box.

Der Ast war elastisch und stark und glitschig von seinen nassen, angeklebten Blättern. Er war so dick, daß Mark ihn kaum mit beiden Händen umklammern konnte, und plötzlich schnellte er aus diesem Griff wie eine Stahlfeder und schlug wie eine Peitsche über Fees Bein, über den Verband, über die Wunde. Fee stieß einen Schrei aus, der durch die Senke gellte und die Stille der Nacht zerriß. Wieder schrie sie und bäumte sich auf in ihrer Angst. Ihre Vorderfüße schlugen gegen die Gabelung, dann rutschten ihre Hinterbeine in dem feuchten Matsch unter ihr weg und sie fiel, mit allen vier Beinen wie irrsinnig gegen die kleinen Zweige der Gabelung tretend. Dann lag sie auf der Seite unter dem Baum, doch noch immer schlug sie um sich. Das verletzte Bein verfing sich im Gewirr der Zweige und in ihrem zu großen, zu lockeren Geschirr. Der Verband löste sich und wickelte sich auf.

Mark kroch unter den dicken Ast der Gabelung, um zu ihrem Kopf zu kommen, sie festzuhalten und ihr zu sagen, daß sie ruhig sein, sich nicht weiter wehtun solle. Einen Augenblick lang lag Fee still und beobachtete ihn mit wilden Augen, aber als er näher kam, warf sie ihren Kopf in die entgegengesetzte Richtung. Sie hatte Angst vor ihm! Sie zeigte ihre Zähne und schrie. Mark wurde es übel vor Entsetzen. Er kroch davon, damit sie nicht noch mehr mit ihrem verletzten Bein um sich trat, verfing sich im Geschirr und stürzte. Er war es, vor dem sich Fee fürchtete! Fee dachte, er habe sie mit dem Ast geschlagen. Mark wollte zurückkriechen und ihr sagen, daß es ein unglücklicher Zufall gewesen war, doch Fee ließ das nicht zu. Sie be-

gann um sich zu schlagen, sie trat die Blätter in den Boden, daß sie wirbelten wie in einem schrecklichen Sturm. Er konnte gar nichts für sie tun – sie haßte ihn, sie dachte, er habe es mit Absicht getan.

Mark riß sich los und kletterte hinter dem umgeworfenen Baum die steile Böschung hinauf. Immer wieder rutschte er aus, weil er sich ständig nach Fee umschaute. Jetzt, da er außer Sichtweite war, beruhigte sie sich, sie trat nicht mehr um sich. Mark beleuchtete sie kurz mit der Taschenlampe und kletterte dann geräuschlos weiter.

Oben auf der Böschung setzte er sich in die matschige Nässe und achtete nicht darauf, wie scheußlich das war, weil ihm so scheußlich zumute war. Fee dachte, er habe es mit Absicht getan, und jetzt fürchtete sie sich vor ihm. Er hatte es getan, wenn auch nicht mit Absicht. Er wagte jetzt nicht, mit der Lampe in die Senke zu leuchten. Er wußte nicht, was tun – wenn sie wüßte, daß er hier saß, würde vielleicht sogar das sie beunruhigen.

Schließlich schien ihm nichts übrigzubleiben, als wegzugehen. Wenn er wegging, könnte Fee vielleicht irgendwie aufstehen – der Ast hatte sie geschlagen, er versperrte ihr jetzt nicht den Weg aus der Gabelung. Vielleicht ginge sie gern in die Scheune zu Colonel. In der Dunkelheit zwang er sich, ohne Licht wegzugehen von Fee.

Erst in der Scheune schaltete Mark die Taschenlampe an. Colonel war wach und stand auf seinen Beinen. Das alte Pferd warf den Kopf herum und wieherte Mark ein lautes Willkommen zu. Vielleicht hörte Fee es und wurde davon hergelockt. Immerhin mochte ihn Colonel noch – aber Colonel wußte natürlich nicht, was er Fee angetan hatte. Mark versuchte, Colonel freundliche, liebe Dinge zu sagen, doch seine Stimme wollte nicht aus der Kehle kommen.

Colonel schnupperte an seiner leeren Krippe herum und sah

dann wieder Mark an. Colonel brauchte etwas zu fressen. Mark wurde es besser zumute. Nach dem, was er Fee angetan hatte, mußte er Colonel etwas Gutes tun. Er dachte an die Kartoffeln im Keller, aber die Küchentür war zugenagelt, und die Falltür hatte der Wirbelsturm so fest in ihren Rahmen getrieben, daß Mark zweifelte, ob er sie aufstoßen könne. Es graute ihm davor, durch den muffigen Keller hinauf ins leere Haus zu gehen, wo keiner war und keiner kommen würde. Vielleicht würde Mr. Sayers in dieser Nacht nicht mehr zurückkommen können.

Mark fiel der Heuhaufen auf dem Scheunenboden ein, in dem er gespielt hatte. Es war altes Heu, kurz und stoppelig und trocken und staubig, aber es war besser als nichts. Vielleicht konnte Colonel daran herumkauen.

Oben in der Scheune leuchtete Mark überrascht mit der Taschenlampe um sich: Als der Wirbelsturm an den Scheunentoren vorbeigezogen war, hatte er alles, was lose war, Heu und Staub und selbst die Spinnweben, aus der Scheune geholt und in seinem Sog verschlungen. Der Boden lag so sauber da, als wäre er mit einem Staubsauger bearbeitet worden. Mark konnte mit seiner Taschenlampe durch die Ritzen leuchten und Colonel drunten in seiner Box sehen. Auch der Heuhaufen mußte mit dem Wirbelsturm verschwunden sein. Er war plötzlich zu müde und mutlos, um die Leiter hinaufzusteigen. Und Mutter hatte ihm Hafer und ein Stärkungsmittel zum Geburtstag versprochen! Er hatte Geburtstag!

Plötzlich durchfuhr ihn ein Gedanke: In der Küche war eine ganze Flasche voll Vitamintabletten. Würde nicht die ganze Flasche voll – nein, schon die Hälfte – Colonel genauso helfen wie ein Stärkungsmittel? Er wollte Colonel die Hälfte geben und die andere Hälfte für Fee aufheben – falls sie kam. Es bedeutete, daß er durch den Keller gehen mußte – weil der Klauenhammer im Werkzeugkasten im Graben war, konnte er die vernagelte Küchentür nicht öffnen. Aber eine halbe Flasche für

Colonel! Und die halbe Flasche, die auf Fee wartete, würde irgendwie bedeuten, daß Fee zurückkommen mußte.

Mark fand einen Spaten und zwang sich dann, mit der großen Taschenlampe entschlossen zur Kellerfalltür zu marschieren. Immer wieder mußte er den flachen Spaten ansetzen und stoßen und drücken, aber endlich hatte er die Tür aus ihrem Rahmen gestemmt. Er schaute hinunter in den gähnenden dunklen Kellergang. Dann packte er die Taschenlampe und rannte hastig die Stufen hinunter und die Treppe zum Eßzimmer hinauf. In der Küche griff er die Flasche mit den Vitamintabletten und floh über die kullernden Kartoffeln zurück und aus dem stillen Raum.

Sowie er draußen war, richtete er das Licht auf den Kellergang zurück und sah die Kartoffeln. Er schauderte. Nein, er konnte sich nicht dort hinunter setzen und Kartoffeln schneiden für die Pferde. Aber er hatte Hafer – natürlich, er hatte Hafer!

„Hafer! Hafer" sagte er glücklich. Im Kornkasten von Sayers war Hafer. Er würde den Staub und Schmutz heraussieben. Mark lief die Rampe zur offenen Falltür hoch und riß den Fliegendraht vom Fenster der Speisekammer. Mit dem Fliegendraht und der Taschenlampe sauste er über das einzelne Feld, um in der weit offenen Scheune von Sayers Hafer zu sieben.

Mark kam es vor, als hätte er stundenlang Hafer gesiebt; doch jetzt war er zurück in seiner Scheune. Fee war nicht gekommen, Fee stand nicht neben Colonel, und nirgendwo auf der Weide rührte sich etwas.

Mark zeigte Colonel den zum Überlaufen vollen Eimer mit Hafer, doch er gab ihm keinen. Zuerst rieb er Colonel die Hälfte der Vitaminkapseln ins Maul, dann schüttete er die Hälfte des Hafers in die Krippe. Die größere Hälfte behielt Mark für Fee. Er steckte die halbvolle Flasche mit den Vitamintabletten wie eine Kerze in die Körner – das alles wartete nun auf Fee. Colonel kaute Hafer, und das gab ein freundliches, heimeliges Geräusch, nur war Mark zu müde, um sich an irgend etwas zu freuen.

Ach, er war müde, seine Kinnbacken sperrten sich auseinander für ein krampfhaftes Gähnen nach dem andern und schienen dann kaum in ihre Gelenke zurückzufinden. Es tat weh, und er war so müde.

Aber es gab noch etwas, was er tun mußte – er mußte zurück zur Senke. Es war viel Zeit vergangen, vielleicht fürchtete sich Fee jetzt nicht mehr vor ihm. Doch wenn sie sich wieder wehrte, sobald sie ihn sah, und sich noch mehr verletzte, vielleicht so sehr, daß sie für immer verkrüppelt blieb?

Mark wagte nicht, das Risiko einzugehen. Aber eins konnte er tun für den Fall, daß Fee sich befreite und doch zur Scheune kam. In Colonels Box war kein Platz für sie neben den Dreschmaschinenriemen, die Colonel aufrecht hielten, aber Fee wäre sicher gern in der Nähe des alten Pferdes. Die obere Scheune war leergesaugt, aber vielleicht war auf dem Heuboden doch noch etwas übrig von dem zusammengedrückten Heuhaufen? Das Heu wäre ein schönes Bett, auf das sich Fee direkt neben Colonels Box legen könnte.

Mit einem langen Seufzer und einem noch längeren Gähnen suchte sich Mark eine Heugabel und kletterte mühsam zum Heuboden hinauf. Erstaunlicherweise war sein Heuhaufen noch in der Ecke – das einzige, was der vorbeiziehende Wirbelsturm in der oberen Scheune zurückgelassen hatte.

Die Stille der Nacht hing so schwer über ihm wie ihre Dunkelheit, doch er war zu müde, um die Taschenlampe anzuschalten. Die Gabel stak im Heu, und Mark lehnte sich so schwer darauf, daß seine Hände an dem glatten, vielbenutzten Griff fast bis zu den Forken hinunterrutschten und er beinah aufs Gesicht fiel. Er war zu müde, um das Heu hinunterzubringen, und Mr. Sayers würde niemals kommen, und Mutter mußte bei Vater im Krankenhaus bleiben. Es gab niemanden, der kam und ihm half, und er konnte Fee nicht helfen, weil sie sich vor ihm fürchtete – Fee haßte ihn.

Mark lehnte sich immer noch schwer auf die eingegrabene Heugabel, als ihm plötzlich bewußt wurde, daß er in die Öffnung seines kleinen Tunnels im Heu starrte – es schien Jahre her zu sein, aber gerade bevor der Wirbelsturm kam, hatte er diesen Gang gegraben. Ach, der kleine Tunnel sah jetzt so sicher und gemütlich aus, sicher zum Schlafen und Verstecken. Er wollte die Taschenlampe zur Gesellschaft mitnehmen und unter dem Heu schlafen. Wenn er die Taschenlampe so hinstellte, daß sie ihn beschien, würde sein Körper dem Licht den Weg zur Tunnelöffnung versperren, und niemand, der kam auf der Suche nach Fee, würde ihn finden. Er brauchte Licht, selbst wenn er in seinem Schein einschlafen würde. Es war so einsam hier, er kam sich so schrecklich vor wegen Fee. Es war schlimmer, als sich vor der Dunkelheit zu fürchten.

Er würde sowieso nicht richtig schlafen. Wenn Mr. Sayers kam, würde er seinen Namen rufen, und Mark würde es hören, und dann würden sie zusammen hinuntergehen zu Fee.

Mark seufzte bei dem Gedanken, während er ausgestreckt in seinem Tunnel lag, den Kopf in seinen Armen barg und mit der Wange auf der harten, rechteckigen Taschenlampe einschlief.

Drunten kaute Colonel mit müden, langsamen, abgenutzten alten Zähnen seinen Hafer.

KEKSFRÜHSTÜCK

Mark erwachte in dem stickigen, heißen Tunnel unter dem Heuhaufen und hob seine gefühllose Wange von der Taschenlampe. Er schaute nach dem klaren Tageslicht in der Tunnelöffnung. Die Sonne schien! Mr. Sayers war nicht gekommen, und es war heller Tag.

Mark schüttelte sich das warme Schlafgefühl aus dem Kopf und kletterte die Heubodenleiter hinunter. Fee war nicht da. Nur Colonel wieherte ihm entgegen und kaute dann weiter seinen Hafer. Colonel fraß immer noch. Mark beschloß, den Eimer mit dem restlichen Hafer und die halbvolle Flasche mit den Vitamintabletten hinauszubringen zu Fee. Vielleicht hatte sie im Sonnenlicht keine Angst vor ihm. Er würde ihr Wasser vom Bach holen.

Der Eimer stand leer neben Colonels Box, und die Vitamintabletten waren verschwunden. Jemand mußte in der Scheune gewesen sein, während er schlief, und Colonel den restlichen Hafer gegeben haben. Das mußte Mr. Sayers gewesen sein, aber wo war er jetzt? Fee war sicher noch in der Senke — vielleicht tot, vielleicht verblutet mit ihrer aufgestoßenen Wunde, und er hatte die ganze Nacht geschlafen!

Er mußte mit dem Eimer und einem Messer und dem Matratzenschoner zur Senke laufen. Er würde Binden schneiden und ihr Bein verbinden, dann wollte er sie zur Scheune führen, damit sie bei Colonel sein konnte, während er aus dem Kornkasten Hafer für sie holte.

Mark sah sich nach dem Matratzenschoner um — er war verschwunden. Dabei hatten sie nur einen Streifen davon für einen Verband gebraucht. Hatte Mr. Sayers Fee gefunden und war jetzt bei ihr, um sie zu verarzten?

Marks Gedanken jagten, aber sie jagten im Kreis ... Er war so hungrig! Er hatte nicht zu Abend gegessen, der Wirbelsturm war vor dem Abendbrot gekommen, und danach ... Jetzt fiel ihm etwas ein: Er würde rasch ins Haus laufen und die Keksdose holen. Nein, er sollte zum Kornkasten rennen und sehen, ob Mr. Sayers dort war. Nein, er konnte nicht rennen, er war zu hungrig, um hinüberzulaufen, sein Magen machte gierige Sprünge beim Gedanken an Kekse — zwei, drei, eine ganze Handvoll und noch mehr! Er raste ins Haus, aber er schämte sich dabei – weil er Hunger hatte, während Fee vielleicht in der Senke lag.

Die Küchentür war immer noch zugenagelt, aber die Falltür war offen. Er rannte die Kellertreppe hinauf und holte die Keksdose von ihrem Bord in der Küche, knallte sie in den Eimer und lief zurück zur Kellertreppe. Er würde kein einziges Keks essen, bevor er bei Fee war.

Oder – er konnte auch im Laufen essen. Er drehte den Deckel der Dose – und dann kam aus der Stille ein rauhes, sägendes Geräusch, von dem plötzlich das ganze Haus erfüllt war. Mark ließ die Handvoll Kekse fallen und stand ganz steif, während sich in seinem Nacken die Haare sträubten wie Hühnerfedern. Dann kam das Geräusch wieder, und er kicherte albern. Das war Schnarchen! Er rannte durch die Küche ins Eßzimmer und dann zum Wohnzimmer. Die Keksdose klapperte im Blecheimer.

Auf dem Sofa lag Mr. Sayers, vollständig angezogen – sogar die Schuhe hatte er an den Füßen. Er hatte den Matratzenschoner unter sich gebreitet, damit das Sofa sauber blieb. „Was?" Er setzte sich auf. „Was ist los? Ich komme, Mama."

Dann saß er da und starrte mit großen Augen um sich. „Mark!" sagte er schließlich. „Junge, wo warst du, wo bist du gewesen? Die halbe Nacht habe ich unsere beiden Farmen abgesucht. Wo warst du?"

„Unter dem Heuhaufen in meinem Tunnel", sagte Mark schuldbewußt.

Dann brach es aus ihm heraus: „Ich bin eingeschlafen, ich wollte nur ein bißchen schlafen, bis ich zurückgehen könnte zu Fee, oder bis wir beide zu ihr könnten, wenn Sie kämen ... Ich habe Sie überhaupt nicht gehört – und Fee ist noch in der Senke, und vielleicht ist sie tot, sie hat so verrückt um sich getreten. Der Verband ist weg, und sie haßt mich, und sie hat mich nicht helfen lassen, und ich habe alles nur getan, weil ich sie vor dem Mann verstecken wollte, der nach ihr suchen

würde ... Ich habe das nicht ausgehalten, und ich bin eingeschlafen, ich habe es getan, und dann ist mir nichts Gescheiteres
eingefallen, als mich hinzulegen und zu schlafen!" Mark weinte
und keuchte zugleich die Worte aus sich heraus.

„Du redest mehr als Mama nach dem Aufwachen", knurrte
Mr. Sayers. „Jetzt sag es noch mal. Erzähl es langsam und der
Reihe nach, aber steh nicht da und heule, weil du eingeschlafen
bist. Ich bin auch eingeschlafen. Es kommt eine Zeit, da sagen
deine müden Knochen einfach halt. Dann schläft man, als hätte
einem jemand eine Axt über den Schädel geschlagen. Jetzt putz
dir die Nase und hör auf zu heulen. Selbst wenn Fee tot sein
sollte – und ich bezweifle das –, hat sie letzte Nacht Mamas Leben gerettet. Schon gut, wir gehen und schauen nach ihr, aber
erst, wenn du mir eine Handvoll von diesen Keksen gegeben
hast." Mr. Sayers schnitt eine Grimasse. „Kekse! Solange ich
lebe – und das ist schon mehr als siebzig Jahre –, habe ich noch
nie Kekse zum Frühstück gegessen! Was so ein Wirbelsturm
aus einem macht! Ich habe kein Abendbrot gehabt – du vermut-
lich auch nicht, also kauen wir Kekse, statt gleich Frühstück zu
machen. Hab keine Angst, wir heben ein paar für Fee auf. Sie
wird auch Hunger haben."

Mr. Sayers schien überzeugt zu sein, daß Fee lebte. Sie gingen durch den Keller hinaus. Dann blieb Mr. Sayers stehen.
„Willst du nicht wissen, wie es deinem Vater geht?"

Mark stellte entsetzt den Eimer hin. Er hatte noch nicht einmal an seinen Vater oder seine Mutter gedacht – nur an Fee.
Nicht einmal hatte er an sie gedacht!

Mr. Sayers schmunzelte. „Mach kein so niedergeschlagenes
Gesicht, Junge. Wir haben soviel mitgemacht ... Sie können
noch nicht viel sagen über deinen Vater. Er hat eine Gehirnerschütterung und ist nicht bei Bewußtsein, aber die Ärzte meinen, er wird gesund. Deine Mutter bleibt bei ihm und Mama.
Sie haben nicht genug Krankenschwestern, so viele Leute wur-

den im Wirbelsturm verletzt. Aber deine Mutter läßt dir sagen, daß sie nach Hause kommt, sobald sie kann. Und Mama war nicht nur stachlig wie ein Igel von all dem Dreck, sie hatte außerdem drei gebrochene Rippen unter dem Korsett und ein gebrochenes Bein. Denk nur mal, wie sie damit in den Wagen gekrochen ist! Tapfere Mädchen, unsere Frauen – deine Mutter hat erst geweint, als ich ihr sagte, du hättest keinen Kratzer, höchstens ein paar Sommersprossen mehr. Jetzt sag mir – sind Sommersprossen ein Grund zum Heulen?"

Mark hatte selbst ein paar Tränen in den Augen, und er verbarg sie, indem er den alten Mann umarmte.

„Gut", sagte Mr. Sayers, „jetzt gehen wir zu Fee. Aber erst noch eine Handvoll pappige Kekse. Mit denen im Magen können wir dein Pferd heimtragen, wenn es sein muß."

Mr. Sayers redete auf dem ganzen Weg. Mark mußte soviel zuhören, daß er gar nicht zum Nachdenken kam. „Ein leerer Krankenwagen hat mich bis zu der Stelle mit zurückgenommen, wo du den Wagen stehengelassen hast", sagte Mr. Sayers. „Und ich bin deiner Spur gefolgt bis mitten ins Wäldchen – dort habe ich sie verloren. Und als ich hier ankam, warst du nirgends. Ich habe gerufen wie verrückt, und ich habe beide Farmen abgesucht. Und dann wurde es Morgen, und ich habe Colonel gefüttert und bin auf die Couch in eurem Wohnzimmer gefallen wie ein gescherter Ochse."

„Ich habe in meinem Tunnel geschlafen wie ein gescherter Ochse", sagte Mark. „Was ist ein gescherter Ochse?"

„Das bist du, und das bin ich, und jetzt sind wir noch dazu voller Kekse", lachte Mr. Sayers. „Deine Flasche mit Vitamintabletten ist in meiner Hosentasche, und mein Bein tut weh, weil ich auf den komischen Pillen geschlafen habe. Ich nehme an, sie sind für Fee."

Sie gingen zu Fee, und Mr. Sayers erzählte ihm vom Krankenhaus. Mark stolperte neben ihm her und hörte so aufmerksam zu, daß er nicht auf den Weg achten konnte. Mr. Sayers sprach mit ihm, als wäre er erwachsen. Jetzt, wo er nicht mit seiner Frau reden konnte, redete er mit ihm, Mark, als wäre er so groß wie Mama. Mark mußte kichern.

„Was gibt es da zu lachen?" fragte Mr. Sayers.

Mark mußte es sagen, aber es war so komisch, es machte ihm nichts aus, und er rückte gleich damit heraus: „Ich habe mir vorgestellt, ich wäre so groß und dick wie Mama."

„Ach so?" Mr. Sayers war kein bißchen ärgerlich. „Na, hör lieber auf, dir das vorzustellen. Was ist, wenn es wahr wird? Dann muß ich dich über Zäune heben, aber du bist dann so schwer, daß ich es nicht schaffe, und wir beide fallen auf einen riesigen Haufen und liegen da und fangen an zu sprießen wie das Gras nach all dem Regen."

Mr. Sayers war wirklich nett. Jetzt hatte Mark plötzlich einen Freund gefunden – einen richtigen, sprechenden Freund. War es nicht merkwürdig, daß vor dem Wirbelsturm Mr. Sayers nur mit Vater oder Mutter gesprochen hatte? Ihm hatte er höchstens hin und wieder einen Scherz zugeworfen, wie man einem kleinen Hund ein Keks zuwirft.

„Mr. Sayers, ich mag Sie!" platzte Mark heraus.

„Na, wenn das stimmt, dann sag nicht mehr ‚Mr. Sayers' zu mir, als wäre ich ein Fremder. Sag einfach Großvater."

Mark versuchte es: „Ich mag dich, Großvater."

„Ich mag dich auch, weil – verstehst du, ich hatte nie einen Sohn. Nur Mädchen. Vier Mädchen, nicht einen einzigen kleinen frechen dünnen Jungen. Ich sag dir, ein Mann kann das kaum aushalten. Ich hätte es nicht ausgehalten, wenn ich sie nicht alle so furchtbar gern gehabt hätte."

Mark kam plötzlich eine Idee; er hüpfte, weil es so wichtig war. „Es ist schon zu spät, als daß ich dein Sohn sein könnte, nicht wahr? Aber, Großvater, ich könnte dein Enkelsohn sein, oder nicht? Auch wenn es spät ist?"

„Abgemacht", antwortete Großvater sofort. „Spät, aber nicht zu spät, würde ich sagen, denn meine vier Mädchen haben auch wieder nur Töchter. Doch jetzt hast du das alles in Ordnung gebracht – Enkelsohn!"

Sie standen einander feierlich mitten auf der Weide gegenüber und besiegelten die Sache mit Handschlag.

Großvater ging weiter, um Fee zu holen, aber Mark blieb stehen. Man kam an einen Punkt – wie jetzt mitten auf einem Feld –, und an diesem Punkt wurde man ein Enkelsohn, noch dazu an seinem Geburtstag. Mark ließ seinen Großvater weitergehen; er blieb gerade lange genug, um einen Stock in den durchweichten Boden zu bohren an genau dem Punkt, an dem er Großvaters Enkelsohn geworden war. Dann rannte er seinem Großvater nach. Später würde er eine bessere Markierung anbringen, aber jetzt konnte er es nicht ertragen, von seinem neuen Großvater getrennt zu sein. Jetzt war er Mark mit einem Großvater und zwei Pferden.

Sie gingen durchs Wäldchen zur Senke, weil Großvater alt war wie Colonel und höchstens in einem Wirbelsturm die steile Böschung hinunterkam. Doch als sie sich dem Baum mit der großen Gabelung näherten und Fee dort bewegungslos liegen sahen, blieb Mark zurück. Großvater wartete auf ihn, und Mark erklärte: „Ich bleibe besser hier. Fee glaubt, ich hätte sie geschlagen, und sie haßt mich. Wenn sie mich sieht, schlägt sie vielleicht wieder aus."

„Das bezweifle ich", sagte Großvater. „Das bezweifle ich sehr. Du kommst mit mir und bringst diese Keksdose, und dann wollen wir mal sehen, wer wen haßt. Sie wird nicht erschrecken. Verstehst du, in ihrem Kampf hat sie sich das Kummet über den Kopf geschoben, und die Polsterung unter dem Kummet ist ihr über die Augen gerutscht. Weißt du was? Ich glaube, das hat sie davor bewahrt, sich weiter abzumühen. Und weißt du noch was? Ich glaube nicht, daß sie deinetwegen in Panik ge-

raten ist, als ihr dieser Ast übers Bein schlug. Ich glaube, ◌
waren die umgedrehten Bäume mit ihren weißen Wurzeln, d◌
zum Himmel ragen. Als sie in den Wirbelsturm kam, hat s◌
wahrscheinlich gesehen, wie Bäume ausgerissen wurden und ◌
wieder herunterkamen. Und jetzt erschrecken sie Wurzeln, d◌
so in der Luft stehen. Wir werden sehen. Wir lassen die Polst◌
rung über ihren Augen, und du fütterst sie mit Keksen, währen◌
ich sie von ihrem Geschirr befreie."

Mark schöpfte neue Hoffnung. Er setzte sich ohne ein G◌
räusch vor Fees Kopf und schob ihr ein Keks zwischen die Li◌
pen, die anfingen zu zittern. Doch Großvater redete ihr b◌
ruhigend zu, während er Zweige wegräumte und das Geschi◌
entwirrte, wobei er sorgsam ihren Hufen auswich.

Fee fraß Kekse und lag ruhig. Dann sagte Großvater: „Jet◌
läufst du zum Bach und holst ihr einen Eimer voll Wasser. ◌
ist nicht einfach für sie, im Liegen zu schlucken, und bei ihre◌
langen Hals muß das arme Geschöpf jetzt fast bis zum Mag◌
voller Kekskrümel stecken. Aber erst gib mir dein Hemd – d◌
sollte lang genug sein, damit ich es ihr über die Augen bind◌
kann. Das Kummetpolster wird herunterfallen, sobald ich d◌
Geschirr losmache."

Mark zog sein Hemd aus. Großvater betrachtete ihn und sa◌
daß er zitterte, doch er sagte nichts. Er nahm das Hemd u◌
untersuchte es. „Was für ein schmutziges Hemd! Wo bist du d◌
mit gewesen – in einem Wirbelsturm?"

Großvater schien zu wissen, wann der richtige Augenbli◌
für eine alberne Bemerkung war. Es hielt einen davon ab, i◌
Magen ganz schwer und ängstlich zu werden.

Als Mark mit dem überschwappenden Eimer zurückkar◌
hatte Großvater Fee auf die Beine gestellt, und sie konnte ric◌
tig trinken. Sie schlürfte den ganzen Eimer leer und fürchte◌
sich überhaupt nicht vor ihm, aber natürlich hatte ihr Gro◌
vater das Hemd über die Augen gebunden. „Nur bis wir sie a◌

iesem Wurzeldurcheinander heraus haben. Dann wirst du ehen – ich lasse dich das Hemd von ihren Augen nehmen, und u wirst feststellen, daß es die Bäume waren und nichts, was du etan hast. Wie könnte Fee dich hassen?"

Mark staunte, was Großvater alles über Pferde wußte. „Wie eht ihre Wunde aus?" fragte er.

Großvater zuckte die Achseln. „Schlimmer natürlich. Sie ist efer geworden, aber das kam vom Wagenziehen. Hier hat sie ämlich überhaupt nicht geblutet, nicht nachdem Fee den Verand losgestrampelt hat. Du brauchst dir also überhaupt keine orwürfe zu machen. Im Gegenteil, es war sogar gut – ohne den erband ist ihr Bein nicht mehr geschwollen. Es gibt nur eine efahr – Fliegen. Ich wollte es nicht, aber ich mußte ihr den erband wieder umlegen, damit die Fliegen nicht an die Wunde ommen. Hoffentlich haben sie noch keine Eier gelegt. Ich öchte nichts in diese rohe Wunde gießen müssen, was stark enug ist, Maden zu vernichten. Sie würde um sich schlagen ie ein Stier und sich noch mehr verletzen."

Mark war starr vor Entsetzen. Er hatte einen bitteren Ge-hmack im Mund und würgte bei dem Gedanken an Maden. Aber du hast gesagt, der Verband dürfe nicht fest sein."

„Wir werden sehen. Es wird schwierig sein, ohne einen festen erband die Fliegen von der Wunde abzuhalten, aber ich denke irklich, daß Bewegung – Herumlaufen in der Luft und der onne – sie rascher heilen kann als alles andere. Bloß – wie ann man diese verflixten Fliegen fernhalten?"

„Futtersäcke!" schrie Mark. „In der Scheune liegt ein ganzer tapel. Könnten wir nicht einen Sack über ihr Bein ziehen und n oben festbinden? Das wäre wie ein Strumpf."

„Mark", sagte Großvater, „als sie dich in die Welt setzten, aben sie nicht vergessen, dir einen Kopf aufzusetzen, was?"

Großvater führte Fee aus dem Wäldchen, und Mark ging olz hinterher.

Dann waren sie auf dem Pfad, der zur Scheune führte, un
Großvater hielt Fee an. Er gab Mark die Leine. „Jetzt führst d
sie. Ich gehe hinterher. Nimm das Hemd von ihren Augen, un
du wirst sehen, daß die Bäume sie so wild gemacht haben – un
nichts, was du getan hast. Dann lauf ein bißchen schneller, da
mit ich uns ein Frühstück machen kann – Schinken und Eie
und Eier und Schinken, und Kaffee, und ein bißchen Schinke
zum Nachtisch – aber nicht ein pappiges Keks."

Mark hörte kaum zu, während er das Hemd von Fees Auge
nahm. Sie blinzelte und starrte ins Licht, dann warf sie ihre
Kopf zurück und wieherte über das Feld. Von der Scheune ka
Colonels Wiehern wie ein Echo. Und dann beugte sich Fee he
unter und streichelte mit weichen, knabbernden Lippen Mar
Haar. Mark ging weiter und schaute stur nach vorn wege
Großvater, der hinter ihm war und nicht sehen sollte, daß e
weinte. Oh, es war herrlich.

„Und jetzt Schinken und Eier", sagte Großvater. „Die we
den dir jetzt schmecken."

„Kannst du auch kochen?" fragte Mark bewundernd.

„Als Koch, Mark, das kann ich dir sagen, sollte ich an d
Wand gestellt und mit angebranntem Schinken erschossen we
den", sagte Großvater. „Aber da ich sehe, daß ich uns in de
nächsten Tagen am Leben erhalten muß, werde ich nur koche
wenn du versprichst, mich dafür nicht zu erschießen. Wir we
den Fee mit einem Futtersack verbinden und Heu herunte
holen, damit sie ein weiches Bett hat, und dann werden du un
ich uns über Schinken und Eier hermachen – und der erste, d
sie nicht schlucken kann, ist eine alte Jungfer."

Mark konnte nicht antworten. Fee lahmte und humpelte fa
wie ein Hund auf drei Beinen, aber sie ging zur Scheune – se
ner Scheune –, und dort war Colonel, um sie zu trösten.

FARMERFRÜHSTÜCK MIT KAFFEE

Sie wischten sich beide den Mund mit dem Handrücken ab –
Mark tat es sofort nach Großvater. Und dann machte er es noch
einmal mit dem anderen Handrücken. Sie hatten gefrühstückt,
und sie hatten alles bis zum letzten Krümel aufgegessen. Es war
ein gewaltiges Frühstück. Schinken und Eier und Bratkartoffeln
– ein Farmerfrühstück, ausreichend für einen Mann. Und dann
noch Kaffee – auch er hatte Kaffee getrunken, schwarz ohne
Milch, wie Großvater. Ja, in seinem Kaffee war Zucker gewesen, aber er hatte ihn nicht umgerührt.

„Muß ich jetzt das Gewehr suchen und dich mit angebrann-
tem Schinken an der Scheunenwand erschießen?" fragte Mark.
Er rieb sich den Magen und schnurrte vor Zufriedenheit, um
Großvater zu zeigen, daß alles ein großer Witz war.

Großvater schmunzelte. „Nein, ich glaube, das habe ich nicht
verdient. Ich habe alles richtig hingekriegt, es hat mich selbst
überrascht."

Mark wischte sich noch einmal mit dem Handrücken über
den Mund. Großvater hatte noch nicht einmal an Servietten
gedacht – hatte nicht an Orangensaft oder Milch gedacht, sondern ihm einfach Kaffee gegeben. Aber ohne Obstsaft, ohne
Milch, ohne Servietten und ohne jemand, der sich darüber auf-
regte – er würde Großvater bestimmt nicht daran erinnern, auch
wenn die Frauen soviel Aufhebens davon machten.

Auch Großvater schien vor Zufriedenheit zu schnurren. Er
schenkte sich eine zweite Tasse Kaffee ein. „Ah", sagte er, „gegen herzhafte Kost und Kaffee, zum Hinunterspülen, kommen
deine Kekse wirklich nicht an. Aber so etwas braucht man, wenn
man kein Abendbrot gehabt hat. Wir waren wirklich zwei aus-
gehöhlte Kerle, und wir haben allerhand Arbeit vor uns. Aber
das ist gut so, Arbeit heilt so ziemlich alles außer einem kran-

ken Rücken – sie vertreibt die Sorgen und verkürzt das Warten. Und warten werden wir noch eine ganze Weile müssen. Jetzt haben sie wohl damit angefangen, die Landstraße zwischen Stanton und der Stadt zu räumen, und dann werden die Busse wieder fahren. Und sicher kümmern sich Elektriker um Telefonanschlüsse und Elektrizitätsleitungen, und in ein bis zwei Tagen kannst du mit deiner Mutter telefonieren. Inzwischen wird es das beste sein, du und ich räumen die Weide ab, damit Traktoren an mein Dach fahren und Krane es wieder auf die Hausmauern heben können. Wenn es dann Mama besser geht und sie transportfähig ist, dann hat sie wieder ein Dach über dem Kopf und ein Schlafzimmer. Überhaupt, wir dürfen auf keinen Fall vergessen, aus all den Teilen, die über eure Weide verstreut sind, ein Bett zusammenzuhämmern."

„Was ist eine Gehirnerschütterung?" fragte Mark unvermittelt.

„Du denkst an deinen Vater? Siehst du, das ist die Absicht hinter dieser Räumarbeit – sie soll uns davon abhalten, zu grübeln und uns Sorgen zu machen, und uns das Warten verkürzen. Eine Gehirnerschütterung? Weißt du noch, wie du und ich gestern eingeschlafen sind, ich hier, du unter dem Heuhaufen? Ich habe gesagt, es sei gewesen, als hätte uns jemand eine Axt über den Schädel geschlagen. Und so ungefähr ist das mit einer Gehirnerschütterung. Sie haut einen um, man schläft ein und schläft tagelang. Aber wenn man wieder zu sich kommt, geht es einem meistens wieder ziemlich gut."

„Aber dann kann Vater Mutter nicht sagen, ob er Fee für meinen Geburtstag gekauft hat, und dann weiß ich es nicht, und wenn jetzt jemand kommt und behauptet, sie gehöre ihm, und nimmt sie mit? Und wie kann Vater essen? Und wenn er nichts ißt, kann er dann vor Schwäche überhaupt noch reden?"

„Junge, wie dein Verstand arbeitet! Welche von all diesen Fragen soll ich denn jetzt beantworten? Mach dir keine Sorgen, dein Vater wird schlafen, und sie werden ihn füttern, während er schläft – direkt durch seine Venen."

Mark seufzte vor Erleichterung. Ein großes Krankenhaus war wirklich erstaunlich und verwirrend und merkwürdig. „Aber könnte Mutter nicht nach Hause kommen, wenn Vater nur schläft? Muß sie ihn beim Schlafen beobachten?"

Großvater zögerte. „Denk daran, daß auch Mama da ist, nach der deine Mutter schauen muß. Und es – es ist eine andere Art Schlaf, mehr wie wenn man bewußtlos ist, aber auch etwas anders als das. Doch inzwischen werden sie ihn nicht nur füttern, sie werden ihm durch seine Venen auch Medikamente geben, und die ganze Zeit, in der er da liegt und seine Kraft nicht vergeudet, wird er wie verrückt gesund."

„Sollte ich dann nicht zu Mutter gehen, wenn Mutter Vater nicht allein lassen kann?"

„Natürlich sollst du das, und natürlich wirst du es auch, sobald die Landstraße frei ist und die Busse fahren. Doch zum Laufen ist es zu weit, wir würden den ganzen Tag brauchen, und hier braucht Fee Pflege und Colonel ebenfalls. Aber ich habe das schon alles geplant. Deine Mutter muß dich sehen, und du mußt sie sehen, also werden wir ihr eine Stunde frei geben. Ich glaube, ich kann sie dazu überreden, eine Stunde oder zwei mit dir auszugehen, während ich für sie Wache halte. Dann könnt ihr beide ein Eis essen, oder zwei, oder drei, und euch viel erzählen. Ich könnte mir vorstellen, wenn wir das nicht bald machen, dann wird deine Mutter vor lauter Sehnsucht nach dir in so kleine Stücke zerspringen, daß selbst ein Schreinermeister wie dein Vater sie nicht mehr zusammensetzen kann."

Mark saß da und wand sich vor Vergnügen. Dann sprang er auf. „An die Arbeit – wir müssen die ganze Weide leer räumen."

„Ja, vielleicht", sagte Großvater. „Aber zuerst wollen wir für die Traktoren einen Weg zu meinem Dach bahnen. So schnell geht das bestimmt nicht."

„Im Gras hinter der Scheune liegt eine alte Steinschleife – so eine Art Schlitten –, mit der man früher Steine befördert hat", erklärte Mark aufgeregt. „Wenn wir Colonel und Fee davorspannen könnten, hätten wir die Weide im Nu sauber."

„Mit Fees verletztem Bein?"

„Nein, natürlich nicht", sagte Mark bedauernd. „Aber du hast doch gesagt, Bewegung würde die Wunde schneller heilen lassen."

„Bewegung, nicht Anstrengung. Wir werden nur Colonel anspannen, und Fee kann nebenherlaufen, aber nicht arbeiten. Arbeit wäre allerdings gut für Colonel. Sie würde seine steifen alten Beine besser geschmeidig machen als das Einreibemittel, das ich mitgebracht habe."

Das Wort wirkte auf Mark wie ein Startschuß. Er konnte nicht länger warten, er rannte zur Scheune. Sie machten die Riemen unter Colonel los und führten ihn aus der Box.

Sie rieben Colonels vier Beine mit dem Mittel ein. Es färbte sein weißes Fell braun, und es biß und brannte in Marks Augen und in seiner Kehle, aber er rieb immer noch weiter. „Das ist aber stark. Es wird Colonels Beinen helfen und sie stärken. Sollen wir auch Fee damit einreiben?"

„Nein, lieber nicht", sagte der alte Mann. „Zumindest nicht ihr krankes Bein. Und ich frage mich, wie stark es Colonel machen wird – aber immerhin riecht es gut und kräftig." Er hustete und mußte zum Tor laufen, um frische Luft zu bekommen und seine Nase zu putzen. Mark rieb Colonel noch etwas mehr ein, aber dann stürmte er davon, um die Steinschleife von Unkraut und Gras zu befreien, während der alte Mann Colonel anschirrte.

Sie spannten Colonel vor die Steinschleife, und Fee kam aus eigenem Antrieb aus der Scheune gehinkt und humpelte mit ihnen zur mittleren Weide, wo sich das Chaos der Wirbelsturmtrümmer merkwürdig und verzweifelt aus dem verregneten Gras reckte. Fee sah komisch aus in dem umgekrempelten und überhängenden Futtersack, der wie eine lange Socke wirkte. Aber das ungewohnte Ding, das ihren Huf bedeckte, schien sie nicht zu stören – solange sie bei Colonel sein konnte.

Es würde ein prächtiger Tag auf der Weide und in der Sonne werden. Sie würden die Weide räumen, und Großvaters Dach würde wieder auf sein Haus kommen. Und zugleich würden Arbeit und Einreibemittel Colonels Beine geschmeidig und stark machen, während Fees Wunde im fliegenabwehrenden Sack heilte wie verrückt – genau wie Vater im Krankenhaus.

Und es war immer noch sein Geburtstag! Was für ein Tag. Und dann würde der Tag kommen, an dem er und Mutter vor zwei Eisbechern sitzen würden und sich alles erzählten. Mark mußte sich in seiner Aufregung die Nase putzen, aber das kam von dem starken Einreibemittel, denn selbst auf der offenen Weide stank Colonel. Fee konnte es kaum aushalten, ihre Nüstern bebten, sie hustete ein wenig und humpelte davon, um auf einem freien Wiesenstück zu grasen.

Und dann hatte Großvater für Mark die größte Geburtstagsüberraschung bereit. Statt einen Weg zu seinem Dach zu bahnen, belud er die Steinschleife mit Pfählen und Brettern und Holzplatten, die er aus dem Durcheinander auf der Weide aussuchte. Es stellte sich heraus, daß sie für Fee waren: für eine Box für Fee gleich neben Colonels Box. Zuletzt luden sie Latten auf die Steinschleife, weil Fee eine Krippe für Heu und Hafer bekommen sollte, die eine Fortsetzung von Colonels Krippe werden würde, ohne Trennwand dazwischen. „Dann können sie sich beschnuppern und zusammen fressen", erklärte Großvater.

Eine Box für Fee! Mark konnte es kaum glauben – damit schien es ganz sicher, daß Fee ihm gehören und bleiben würde. Ihm war jetzt, als hätten Freude und Hoffnung keine Grenzen, als könne ein Mensch sie kaum fassen. Mark mußte alle möglichen Dinge auf einmal tun, lauter Dinge für Fee.

Doch Großvater sagte: „Enkel, hör auf, gleichzeitig in fünf

Richtungen zu rennen. Ich kümmere mich um die Box und messe alles aus, und du nimmst Colonel und die Steinschleife und holst den Werkzeugkasten deines Vaters. Wir brauchen das Werkzeug, wenn wir die Box bauen, und für Colones Beine wird es ein gutes Training sein, bevor wir ihn die Trümmer aus der Weide ziehen lassen. Tu langsam und hetze den alten Gaul nicht – es wird ein langer Tag werden. Aber wenn Colonel stolpern und fallen sollte, mach keinen Unsinn und versuch nicht, seinen Kopf zu heben, um ihn wieder auf die Beine zu bringen. Dann kommst du zurück und sagst mir Bescheid."

Mark nickte gehorsam, doch er ärgerte sich, daß er Großvater alles erzählt hatte. Es schien, als wisse und glaube nur er, daß Colonel ihm nie wehtun würde. Colonel gab doch acht auf ihn.

Er und Colonel zogen über die Felder. Es war ein wichtiger Tag und dies ein wichtiger Auftrag – es fiel ihm schwer, das langsame Tempo einzuhalten, aber Mark mußte auf Colonel Rücksicht nehmen. Zu seiner Erleichterung fand sich nach der langen, langsamen Reise der Werkzeugkasten noch unter dem Gebüsch an der Straße, wo er ihn versteckt hatte.

Auf dem Rückweg war es Colonel, der es eilig hatte – er wollte heim zu Fee. Und Mark wollte heim zu Großvater und dem Bau von Fees Box. Obwohl er sich überlegt hatte, daß er Großvater nicht alles erzählen sollte, fielen ihm auf dem langen Heimweg tausend Dinge ein, die er ihm noch erzählen wollte.

Als er und Colonel zu Hause ankamen, arbeitete Großvater nicht an der Box. Er war oben auf dem Heuboden und stocherte mit der Heugabel in dem Heuhaufen, durch den seine Tunnels liefen. Doch Großvater gab acht auf die Gänge, er holte das Heu lediglich von der rundlichen Oberfläche des Haufens herunter. „Ich brauche es als Streu für Fee. Du kannst dir eine Heugabel holen und mir helfen." Als Mark zurückkam, grub er als erstes genau in den Eingang des kleinen Tunnels, den er am Tag des Wirbelsturms gebaut hatte. Großvater hielt ihn zu-

rück. „Nein, wir bekommen genug, ohne die Gänge zu zerstören. Ich würde sie um nichts auf der Welt kaputt machen. Ein Junge braucht Tunnel, um wegzukommen von schimpfenden Müttern und Vätern, von Pferden mit kranken Beinen und Wunden, die nicht schnell genug heilen, und Vätern in Krankenhäusern, und Großvätern, die ihn herumkommandieren."

Mark hörte auf zu graben und betrachtete den alten Mann voll Staunen und Verehrung. Woher wußte er, wie wichtig Tunnels waren?

„Hast du auch Tunnels gehabt, als du ein Junge warst?" fragte er erwartungsvoll.

„Nein. Da ich nicht so klug war wie du, bin ich nie darauf gekommen. Aber ich wollte, es wäre mir eingefallen. Und ich wollte, ich hätte gestern nacht gewußt, daß du hier drunter warst. Ich wäre mit dir hineingekrochen und hätte auch hier geschlafen. Sag mal", unterbrach sich Großvater, „was eigentlich hindert uns jetzt –, nach dem kurzen Schlaf gestern nacht und dem langen, schlimmen, sorgenvollen Tag könnte ich auf der Stelle schlafen, du nicht? Fee ist gut aufgehoben, sie grast mit Colonel, und nach einem Schläfchen, das die Müdigkeit von gestern aus unseren Knochen scheucht, bauen wir ihre Box viel besser und schneller."

Großvater warf seine Gabel weg und kroch in den großen alten Tunnel, den ersten, den Mark gebaut hatte. Dann kroch Mark in seinen kleinen Tunnel von gestern, streckte sich aus und seufzte vor Glück und Wohlbehagen – ein Großvater in einem Tunnel. Das war der Geburtstag aller Geburtstage. Im anderen Tunnel fing Großvater an zu schnarchen. Mark kicherte, aber mittendrin schlief er ein.

GROSSVATER WIRD UNRUHIG

Es war am Morgen des zweiten Tages, den er und Großvater allein auf der Farm verbrachten. Mark wischte sich den Mund mit dem Handrücken. Eben hatte er sein zweites großvater-großes Frühstück gegessen, ohne Servietten oder Orangensaft. Diesmal hatte er zwei Tassen Kaffee getrunken. Mark leerte sie bis zu den letzten bitteren Tropfen. So schrecklich es auch schmeckte, es war doch herrlich, das schwarze Gebräu zu trin-ken – wie ein Mann.

Sie würden jetzt gehen und Fees Bein verarzten und für beide Pferde Hafer sieben. Doch als Mark hinausging, folgte ihm Großvater nicht. Mark ging zurück und sah, wie der alte Mann von Zimmer zu Zimmer schritt und die Lichtschalter andrehte. Doch obwohl kein Licht kam, ging Großvater zu dem toten Te-fon und horchte in den Hörer; danach schaltete er das Radio und den Fernseher ein – der leere Bildschirm wirkte leerer und öter als alles andere.

„Warum macht man solche albernen, kindischen Sachen? Und noch dazu ein alter Mann wie ich!" sagte Großvater zornig. „Ihr habt hier keines – ihr habt kein Radio mit Batterie? In meinem sind die Batterien leer."

Mark schüttelte den Kopf.

Sie verließen das stille Haus, das jetzt ausgestorbener wirkte als je zuvor. „Es ist schrecklich, nicht zu wissen, was passiert – nur weil man kein Radio mit Batterie hat. Ich habe nicht schla-fen können, weil ich an Mama denken mußte. Du weißt, wie es ist, wenn man nicht schlafen kann – es hat mich ganz fertig ge-macht."

Mark wandte sich schuldbewußt ab – er wußte nicht, wie das war, er hatte die ganze Nacht geschlafen. Er hatte geschlafen, bis Großvater ihn zum Frühstück wachgerüttelt hatte. Er konnte nichts dafür, er war so müde gewesen nach all der Arbeit gestern

„Los jetzt, wir müssen uns um die Pferde kümmern." Groß vater tat, als habe er, Mark, sie aufgehalten.

Er hielt dem alten Mann die Küchentür auf und ließ sie dann zufallen. Mit einem Krach fiel sie ins Schloß, schlug wieder auf und klapperte noch einige Male.

Großvater stand horchend auf der Treppe und sagte dann scharf: „Halt die verflixte Tür fest. Ich höre was. Horch! Das klingt wie das Tuckern einer Maschine."

Mark horchte. „Sicher räumen sie die Landstraße."

„Die Landstraße? Die ist ziemlich weit weg. Vielleicht sind sie fertig mit der Landstraße und kommen zu uns."

Mark wußte es nicht, und der Großvater auch nicht. Schließ lich ging der alte Mann weiter. „Komm, wir wollen uns um Fee kümmern und Colonel füttern – bis dahin werden wir wissen ob die Geräusche näher sind und ob sie zu uns kommen. Wir dürfen uns nicht zuviel Hoffnung machen, aber wenn die Land straße frei ist, werden Busse fahren. Wir könnten nach Stanton gehen und von dort mit dem Bus in die Stadt fahren." Groß vater hatte es plötzlich so eilig, daß Mark sich in Trab setzen mußte, um nicht zurückzubleiben. In der Scheune wieherte Co lonel hungrig und warf das Heu in seiner Krippe hin und her Colonel wollte kein Heu. Er wollte Hafer. Er stampfte sogar etwas mit seinen steifen alten Beinen. „Schau dir das an", sagte Großvater. „Er stampft. Ich nehme an, die Arbeit und das Mit tel wirken – er ist ein Arbeitspferd, ihm geht es besser, wenn er etwas zu tun hat."

Großvater redete weiter über Colonel, wahrscheinlich, damit Mark nicht auf Fee achten sollte. Sie lag flach in ihrer Box. Sie hatte den Futtersack bis zu ihrem Huf gestrampelt, und obwohl es noch früh am Morgen war, umsummten die Fliegen sie. Der Futtersack half wenig, denn wenn sie umherhumpelte, durch stieß ihr Huf in kürzester Zeit den Sack.

„Die Wunde ist noch so infiziert, daß ich nichts hineinschütten möchte", murmelte Großvater. „Ich glaube, ich wasche sie mit Seifenwasser aus. Fee sieht nicht aus, als wollte sie heute viel herumlaufen. Also hol mir einen anderen Sack, den werde ich ihr umbinden, wenn ich das ausgewaschen habe."

Mark schoß zum Eckregal und kam mit zwei Säcken zurück. „Das ist alles, was noch da ist. Sie macht sie so schnell kaputt, und sie nützen nichts mehr, wenn sie einmal den ganzen Boden herausgetreten hat."

„Zwei, hm?" sagte Großvater geistesabwesend. „Na, wir werden bald in die Stadt gehen und neue bringen. Wenn wir einen Tierarzt finden – aber selbst dann würde es wahrscheinlich Tage dauern, bis er hier herauskommen könnte. Na, ich will mich mal umsehen. Und du siebst einen Eimer voll Hafer für Colonel."

„Zwei – auch einen für Fee."

„Falls sie frißt. Ich bezweifle es, aber wir können es versuchen. Ich fürchte, ihr Maul ist zu ausgetrocknet vom Fieber. Lauf nur – ich werde ihr Wasser geben, und wenn ich es ihr aus einer Kesselschnauze einflößen muß. Sie verglüht."

„Muß sie sterben?" stieß Mark hervor.

„O nein. Ein junges Pferd stirbt nicht so leicht. Ich wollte nur, wir hätten einen Tierarzt, der ihr Antibiotika spritzen würde. Diese Infektion gefällt mir nicht, aber ..." Großvater schaute ihn plötzlich wütend an. „Stehst du immer noch da? Geh, kümmere dich um den Hafer!"

„Was hast du heute morgen bloß?" Mark ließ sich nicht verscheuchen. „Ist etwas Schlimmes passiert? Wenn Fee nicht sterben muß, was ist es dann? Oh, Großvater, muß Vater sterben?"

Großvater stand auf. Er war erschrocken. „Sterben! Junge, was für eine Frage! Wie kommst du darauf?"

Mark war selbst betroffen. Er hatte es gesagt, aber er meinte es nicht wirklich. Vater war groß und stark und sein Vater. Man konnte sich nicht vorstellen, daß einem der Vater starb.

Endlich antwortete Mark nüchtern: „Ich weiß nicht. Dann ist es Colonel, nicht wahr? Wir haben ihn gestern überanstrengt."

Großvater schüttelte den Kopf, aber er sagte nicht nein. „Hast du nicht gehört, wie er nach Hafer wiehert? Und du stehst da und denkst dir Fragen aus. Wenn das alte Pferd stirbt, dann vielleicht vor Hunger – und du stehst da mit dem leeren Eimer!"

Großvater wollte ihn loswerden. Er ging mit dem leeren Eimer davon.

Nachdem er lange und langsam Hafer gesiebt hatte, ging Mark in die Küche und holte ein Tablett. Großvater hatte Fee verarztet und verbunden – sie roch nach dem Einreibemittel. Er mußte etwas davon in ihre Wunde gegossen haben. Mark schüttete Hafer auf das flache Tablett und schob es Fee vor den Kopf. Großvater holte wahrscheinlich Wasser. Fee lag mit dem Kopf auf dem Tablett, aber sie machte keine Anstrengung zu fressen. Mark rieb ihr eine Handvoll Hafer ins Maul, doch sie spie sie wieder aus.

„Ich hab es dir doch erklärt", sagte Großvater plötzlich hinter ihm. „Ihr Maul und ihr Hals sind zu trocken, um Hafer hinunterzuwürgen. Ich habe ihr etwas Wasser eingeflößt, aber bei diesem Fieber ist es wahrscheinlich schon verdunstet. Ihr Maul ist so trocken wie vorher."

Mark rührte mit seinen Fingern in den Hafer, doch Fee wandte den Kopf ab.

Colonel wieherte eifersüchtig. Er wollte den Hafer, er war hungrig. Es schien ein gutes Zeichen, daß Colonel fressen wollte. Mark schüttete den Hafer vom Tablett zurück in den Eimer und gab den ganzen Eimervoll Colonel, dazu die letzten Vitaminkapseln. Nur drei waren noch übrig. Colonel kaute sie mit seinen abgenutzten alten Zähnen. Die Art, wie er den Hafer zermahlte, ließ es etwas unglaubhaft erscheinen, daß Colonel jetzt sterben sollte.

Großvater war aus der Scheune gegangen und hatte vergessen, Colonel den Eimervoll Wasser zu geben – Mark konnte ihn nicht auf die Krippe heben. Er lief Großvater nach und fand ihn im Haus. Großvater ging durch die Räume und drehte Lichtschalter.

„So, hast du mich wieder dabei ertappt." Großvater sah ein wenig schuldbewußt aus. „Ich geb es nicht gern zu, aber ich habe solche Sehnsucht nach Mama und mache mir solche Sorgen um sie, daß ich es nicht länger ohne Nachrichten und Neuigkeiten aushalte – es ist, als wären wir auf einer einsamen Insel und wüßten nicht, was passiert. Und die Maschine höre ich auch nicht mehr. Ob sie vielleicht unsere Straße geräumt haben, den Teil bei Stanton?"

„Ich weiß nicht", sagte Mark ungeduldig. „Aber Großvater, ich habe den Eimervoll Wasser nicht hinaufheben können zu Colonel, und sollte Fee nicht noch etwas zu trinken bekommen?"

„Mach dir nicht soviel Gedanken. Ich werde ihnen beiden Wasser geben, aber dann machen du und ich uns sofort auf den Weg nach Stanton. Wer weiß, vielleicht fahren die Busse wieder."

Mark konnte nicht sagen, was er wollte, aber auf keinen Fall wollte er Fee und Colonel allein lassen. Doch wenn er gehen mußte, würde er vielleicht herausbekommen, ob Vater Fee für ihn gekauft hatte.

„Kartoffeln!" brüllte Mark plötzlich. „Wir werden Fee mit Kartoffeln füttern, so wie ich Colonel gefüttert habe. Geschnittene Kartoffeln sind saftig, und man kann sie leicht schlucken."

Großvater seufzte und stand auf. „Also Kartoffeln. Wir werden ein paar für sie zerschneiden, aber dann nichts wie nach Stanton, oder du mußt mich hier anbinden – zumindest mußt du meine Füße in einen Futtersack stecken, und selbst dann würde ich noch den ganzen Weg bis zum Krankenhaus humpeln."

Sie schnitten Kartoffeln, bis Großvater sich weigerte, weiterzumachen. „Es sind sowieso kaum noch welche übrig. Wenn du ein Pferd mit Kartoffeln füttern willst, mußt du einen ganzen Lastwagen voll haben."

„Vaters Lastwagen", rief Mark aufgeregt. „Ich wette, er steht noch vor dem Laden, an dem er gebaut hat. Wir können mit Vaters Laster in die Stadt fahren und auf dem Rückweg Kartoffeln kaufen."

„Wenn dich nur Kartoffeln von deinen Pferden wegkriegen, dann gehen wir wohl am besten und suchen diesen Laster."

„Es ist für Fee", erklärte Mark. „Wenn Kartoffeln Colonel gut getan haben, dann tun sie auch Fee gut. Mutter hat es sich ausgedacht, als ich mir Sorgen machte wegen Colonel. Die Kartoffeln haben ihn am Leben gehalten, als er am Boden lag, er hat sie gemocht, sie sind rutschig und schmecken gut."

Natürlich gingen sie nicht, bevor sie fast den ganzen Eimervoll an Fee verfüttert hatten, und dann bekam Colonel den Rest. „Vielleicht sollten wir beide herauslassen", sagte Großvater.

„Nein", meinte Mark. „Sie müssen in der Scheune bleiben, solange wir weg sind." Er dachte immer wieder an den Mann, der vielleicht kommen und Fee einfach von der Weide wegholen könnte, und gab keine Ruhe, bis Großvater damit einverstanden war, das Scheunentor zu vernageln.

Großvater lief ins Haus und hatte sich bereits gewaschen, als Mark die Pferde verließ. Das war alles, was Großvater tun konnte, er konnte sich nicht umziehen, weil alles zum Anziehen der Tornado fortgeweht hatte. Aber er brachte Mark dazu, seine Sonntagskleider anzuziehen.

Es stellte sich heraus, daß der einzige blockierte Teil der Straße nach Stanton ein langes Stück war, das bei Großvaters dachlosem Haus anfing. Die Straße war mit entwurzelten Bäumen bedeckt, sie mußten Umwege über die Felder machen, dann gingen sie auf der Kiesstraße zur Stadt.

Stanton war zerstört, das ganze Zentrum, wo die Läden waren, sogar die Bank aus Ziegelsteinen war verschwunden und die Kirche, in der sie den Mann gefunden hatten, der mit Mama im Krankenwagen gewesen war. Dahinter war der Laden, an dem Vater gebaut hatte. Die vordere Hälfte des Geschäfts lag in Trümmern. „Stell dir vor, da ist dein Vater herausgekommen, und er lebt."

Unter den Trümmern stand fast unversehrt Vaters Laster. Sie mußten Pfosten und Fensterrahmen und Bretter und Türen forträumen, um zu ihm zu kommen. Dann stieg Großvater in das Fahrerhäuschen und ließ den Motor an. Aufheulend ruckte der Wagen vorwärts, dann trat Großvater auf die Bremse, und Mark kletterte neben den Fahrersitz.

„Seit zwanzig Jahren habe ich keinen Laster gefahren", schrie Großvater durch den Motorenlärm. „Es wird zuerst ein bißchen schuckeln, aber mach dir nichts draus."

Großvater zog das Steuer herum, und langsam kroch der Laster auf die Hauptstraße. Jenseits der Straße war inmitten der Zerstörung schon ein Markt aufgebaut. „Dort gibt es Kartoffeln", rief Mark. „Halt!"

Großvater suchte nach der Bremse. „Also Kartoffeln", sagte er. Sie kauften soviel Kartoffeln, wie der Mann ihnen abgab.

„Ich muß auch ein paar Körbe voll für andere Leute haben", sagte er. „Ihr beide könnt nicht alles an euch reißen."

Großvater stimmte zu, und die Kartoffeln wurden aufgeladen.

„Ich bin froh, daß er nicht wußte, daß sie für Pferde bestimmt sind", sagte Großvater, als er den Motor anspringen ließ.

Pferde sind auch wichtig, dachte Mark, aber er sagte nichts. Er rutschte auf seinem Sitz herum und freute sich über die Kartoffeln. „Ich bin froh, daß wir nicht bis zur Heimfahrt gewartet haben. Bis dahin sind vielleicht keine mehr da."

Großvater gab keine Antwort. Der Laster rollte einfach geradeaus, und schließlich gewöhnte sich Großvater daran und freute sich richtig, auf der Landstraße schneller fahren zu können.

Als sie sich der Stadt näherten, sagte Großvater: „Ich bin froh, daß du an den Laster gedacht hast. Nicht ein einziger Bus hat uns überholt. Wer weiß, wo der Wirbelsturm die Busse hingetragen hat und in welchem Zustand sie jetzt sind?"

Und Mark sagte: „Gleich werden wir Mutter sehen, und vielleicht kann Vater uns sagen, wie das ist mit Fee."

„Gibt es eigentlich einen Augenblick, in dem du nicht an Pferde denkst?" fragte Großvater.

„Ja, manchmal denke ich an Kartoffeln." Mark kicherte. Dann lachten sie beide, und dann fuhren sie auf den Parkplatz des Krankenhauses. Mark mußte die Krankenhaustreppe hinaufrennen, sonst wäre Großvater ihm davongelaufen.

Großvater hatte ihm gesagt, daß er im Warteraum bleiben müsse. „Kinder dürfen nicht hinaufgehen zu den Kranken. Ein Kind könnte alle mit Masern anstecken. Obwohl es bei dir wohl eher Spat wäre oder die Maul- und Klauenseuche."

Der Fahrstuhl trug ihn davon. Mark sah ihm nach, bis er verschwunden war, dann verzog er sich in den Warteraum. Er war voller Menschen. Es gab keinen einzigen leeren Stuhl. Eine Frau zeigte zum Fenstersims, und er mußte sich dorthin setzen. Seine baumelnden Beine konnten nicht ruhig bleiben, sie trommelten an die Wand, bis ein Mann in einem Stuhl die Hand ausstreckte und sie anhielt. Dann saß Mark bewegungslos da und wartete und wartete.

EIN LASTER UND EIS

Mark versuchte stillzusitzen, weil es der Mann neben ihm im Wartezimmer offenbar nicht mochte, wenn seine Füße an die

Wand trommelten. Es fiel ihm schwer, nicht zu trommeln, er war so aufgeregt. Mark sah an sich hinunter. Da hatte er sich fein gemacht und seine Sonntagskleider angezogen, weil Großvater es so wollte, aber dann hatten sie Bretter und Balken wegräumen müssen, um den Lastwagen freizubekommen, und danach hatten sie Kartoffeln aufgeladen. Jetzt war er in seinem Sonntagsanzug und dem weißen Hemd so schmutzig wie ein Schornsteinfeger. Aber Mutter hatte ihn so lange nicht gesehen, daß sie, auch wenn er schmutzig war, sofort auf ihn losstürzen würde. So schmutzig er auch war, sie würde ihn umarmen und an sich drücken.

Und da war sie! Sie stand in der Tür und schaute sich verwirrt um in dem vollen Raum.

„Mutter!" brüllte er und sprang vom Fenstersims und lief zu ihr, aber mit ausgestreckter Hand. Sie schüttelten einander feierlich die Hände vor all den wartenden, starrenden Leuten, dann zog Mutter ihn einfach an sich und küßte und küßte ihn. Mark drehte sein Gesicht, so daß er an die Wand schaute, wo keine zuschauenden Leute waren. Aber es war jetzt nicht so schlimm, weil die Leute gesehen hatten, daß es Mutter war, die damit anfing. Er küßte sie zurück.

„Du kommst gerade zur rechten Zeit", rief Mutter so laut, daß jeder es verstehen mußte. „Genau zur rechten Zeit! Mark, gerade bevor ich zu dir herunterkam, hat dein Vater zum ersten Mal mit mir gesprochen. Er hat mich sofort erkannt!"

Es war dumm, so etwas vor allen Leuten zu sagen. Warum sollte Vater Mutter nicht sofort erkennen? Sie war schließlich seine Frau, sie gehörten doch zusammen.

Aber Mutter erwartete etwas von ihm, und die wartenden Leute auch, zumindest war es ganz still geworden im Raum. „Wirklich? Wirklich?" quietschte Mark. „Was hat er gesagt? Mutter, hat er etwas von Fee gesagt, und ob er sie gekauft hat, und ob sie mir gehört?"

Mutter sah verwirrt aus – sie hatte also Vater nicht gefragt. Mark hätte sie am liebsten rückwärts durch die Tür geschoben, damit sie wieder hinauflaufen und wegen Fee fragen konnte. Die Sache mit Vater war herrlich, aber die Sache mit Fee war auch wichtig. Mutter hatte nicht daran gedacht, daß jemand Fee für sich beanspruchen könnte.

Mutter rührte sich nicht, sie drückte ihn immer noch an sich.

„Mutter", fragte er, gegen sie gepreßt, „könntest du nicht hinauflaufen und rasch fragen?"

Mutter sah ihn bestürzt an. „Natürlich nicht! Er durfte nur mit mir flüstern. Weißt du, was dein Vater als erstes gesagt hat? ‚Hallo! Ich liebe dich. Wie geht's Mark?'"

Mark stand schuldbewußt da, als sie ihn losließ, er konnte unmöglich erklären, daß er schrecklich froh war wegen Vater, daß aber zugleich Fee seine Verantwortung und Sorge war. Stumm und bedrückt stand er da.

Mutter verstand. Sie küßte ihn auf den Kopf und sagte: „Großvater hat mir erzählt, daß du mit mir Eisessen gehen willst."

„Komm, wir wollen gehn", schrie Mark. „Zur ersten Eisdiele, die wir finden."

Es stellte sich heraus, daß sie ihre Eisbecher gleich im Restaurant des Krankenhauses bekommen konnten. Bevor sie hineingingen, mußte ihn Mutter noch abbürsten. Es half nicht viel, aber es tat ihr wohl. Sie saßen einander an einem kleinen Tisch gegenüber, und Mark bestellte zwei große Eisbecher mit Sahne, Doppelportionen. Er hoffte, daß Großvater ihm genug Geld für Doppelportionen gegeben hatte.

Er und Mutter konnten sich kaum darüber hermachen vor lauter Reden. Es gab soviel zu erzählen von Fee und Colonel, und dem Wirbelsturm und dem Milchwagen und allem. Dann kam Mark der Gedanke, daß er vielleich nicht soviel über Fees schreckliche Wunde und die Maden hätte erzählen sollen. Mutter hörte zu, aber sie schob sachte ihren Eisbecher zur Seite. Es endete damit, daß Mark doch nicht drei Eisbecher aß, sondern nur anderthalb – seinen und das, was von Mutters Eis noch übrig war.

Dann kam Großvater. Mark wollte ihm eine Doppelportion Schokoladeeis bestellen, aber Großvater sagte: „Nein, lieber Kaffee. Nach meinem kann ich jeden trinken. Aber du ißt zur Gesellschaft noch ein Eis, und es sieht aus, als ob deine Mutter auch einen Kaffee vertragen könnte. Was hast du ihr getan, daß sie so grün um die Nase aussieht?"

„Er hat von Maden erzählt", sagte Mutter mit dünnen Lippen.

„Aber ich dachte, Sie würden droben bleiben, solange ich bei Mark bin?"

„Sie haben mich weggeschickt", sagte Großvater. „Sie hatten was mit Mama vor. Trotzdem", erklärte er Mark, „habe ich ein paar Worte mit deinem Vater reden können. In meinen Augen sieht er recht gut aus für jemand, dem ein Dach auf den Kopf gefallen ist. Ich wußte, daß du keine Minute Ruhe haben würdest wegen Fee. Mark, ich fürchte, er hat Fee nicht gekauft."

Großvater wandte sich hastig an Mutter. „Noch ein Grund, warum ich heruntergekommen bin: Der Arzt sagte, morgen könnten beide nach Hause – natürlich im Krankenwagen. Mama wird noch lange im Bett liegen müssen. Aber er sagte, so wie Sie die beiden Tag und Nacht gepflegt haben, könnten sie gerade so gut oder besser zu Hause sein, und hier ist alles überfüllt."

Der Kaffee kam, und Mutter nahm dankbar einen Schluck.

„Also", fuhr Großvater fort, „wird es am besten sein, wenn Sie mit Mark nach Hause gehen und ich hier bleibe. Auf unserem Haus ist kein Dach, und bis wieder eins drauf ist, werden wir bei Ihnen bleiben müssen, und Sie werden einiges für die Patienten vorbereiten müssen. Können Sie einen Lastwagen fahren?"

„Ich – einen Lastwagen?" Mutter sprang fast vom Stuhl.

„Also, ich habe es noch nie getan, und ich hoffe, ich werde es nie tun müssen."

Großvater lachte. „Sagen Sie das nicht so laut, denn Sie werden es müssen, falls wir diese Kartoffeln für Fee und Colonel nach Hause bekommen wollen."

„Ja, Mutter!" Mark ließ den Strohhalm seines Eisbechers los. „Es ist genau wie mit Colonel — Fee kann jetzt nur zerschnittene Kartoffeln fressen, aber sie haben ihr so gut geschmeckt wie dem alten Colonel." Es war traurig, aber sein großer Eisbecher war schon leer bis auf ein paar dicke Klumpen am Boden. Er mußte kräftig saugen.

Großvater sprang auf. „Ich kann diese Schlürferei nicht hören. Kommen Sie, wir gehen hinaus, bis er damit fertig ist", sagte er zu Mutter. Mark schaute gerade rechtzeitig auf, um zu sehen, daß er Mutter bedeutsam zunickte. Großvater wußte, daß er es gesehen hatte, denn er kam sofort zurück zum Tisch und sagte: „Hör mal, Mark, als sie mich aus Mamas Zimmer schickten, ging ich zu deinem Vater. Die Maden schaden nichts — sie reinigen eine Wunde. Er sagte, er habe das im Krieg gelernt. Also keine Säcke und nichts, aber laß Fee an die Luft und in die Sonne und zu all den Fliegen, die kommen wollen."

Auf diese erstaunliche Sache gab es nichts zu sagen.

Großvater ging unvermittelt auf Mutter zu hinüber. Mark mußte noch den Kaffee und die Eisbecher bezahlen. Er ging deshalb zur Kasse, aber obwohl er ziemlich nahe stand, konnte er nur hin und wieder ein Wort von dem verstehen, was Großvater zu Mutter sagte. Aber dieses Wort schien „Colonel" zu sein — wieder und wieder. Bedeutete es, daß Colonel sterben würde? Die Eisbecher kamen ihm hoch, und Mark schob dem Mann an der Kasse das Geld zu und wandte sich ab, ohne auf sein Wechselgeld zu warten.

Mutter und Großvater kamen zu ihm. „Es ist alles ausgemacht", sagte Mutter hastig. „Großvater und ich haben es besprochen, und er hat recht, ich sollte auf der Farm sein, um alles vorzubereiten. Großvater wird den Laster aus der Stadt herausfahren, und dann fahre ich weiter. Großvater will zu Fuß zurück und sich ein sauberes Hemd und Hosen kaufen, er hat Angst, daß sie ihn sonst nicht hier behalten — es ist so ein sauberes Krankenhaus."

„Aber ich dachte, du könntest keinen Laster fahren." Mark betrachtete forschend ihre Gesichter.

Großvater wandte sich ab. „Ich hole den Laster und treffe euch unten an der Treppe."

„Es wird wohl nicht anders gehen", erklärte Mutter Mark, während sie das Krankenhaus verließen. „Verstehst du, ich habe unseren Wagen nicht hier. Er steht noch, wo ich ihn in Stanton geparkt habe. Ich kam direkt nach dem Wirbelsturm nach Stanton, und ich ließ das Auto stehen und rannte zu dem Laden, in dem Vater arbeitete. Als ich ankam, trugen sie ihn gerade in einen Krankenwagen, und ich fuhr mit und saß den ganzen Weg bis zum Krankenhaus auf dem Boden und hielt seinen armen Kopf im Schoß."

Großvater kam mit dem Laster angedonnert, und es hatte keinen Sinn, die gefürchtete Frage nach Colonel zu stellen.

Mutter saß zwischen Mark und Großvater in der hohen Fahrerkabine und sah genau zu, was Großvater machte. Mark war still und sorgte sich.

Schließlich kamen sie in den Außenbezirk der Stadt, und in einer stillen Straße, die noch vor der Landstraße lag, wechselten Großvater und Mutter die Plätze. Mutter fuhr, und Großvater sah zu. „Sie sehen, es ist nicht anders als in einem Personenwagen", erklärte er ihr. „Sie können nur nicht so unvermittelt drehen und wenden, der Laster ist viel schwerfälliger. Aber machen Sie sich keine Sorgen, Sie sind in einem großen Fahrzeug, und wenn Ihnen irgend etwas in die Quere kommt, dann drücken Sie einfach auf die Hupe. Wenn jemand etwas sagt, dann schauen

Sie einfach aus Ihrer Kabine herunter und sagen ihm ein paar Worte in der Fernfahrersprache."

Mutter lachte nervös. Dann mußte Mark die Tür öffnen und Großvater an sich vorbei aussteigen lassen. Großvater drückte seine Schulter, während er hinunterstieg. „Also, Enkelsohn, mach dir nicht solche Sorgen. Denk daran, daß kein Pferd jemals so geliebt worden ist. Das hat er gehabt, und das hast du gehabt, also sei dankbar."

Mark nickte stumm — bei solchen Worten kamen einem leicht die Tränen. Dann schlug Großvater die Tür zu und war verschwunden. Der Laster setzte sich dröhnend in Bewegung.

Sie waren schon viele Kilometer gefahren, als Mutter aufhörte, nervös das Steuerrad hin- und herzuzerren. Endlich lehnte sie sich zurück und saß richtig auf ihrem Platz, statt auf der Kante wie ein Kanarienvogel auf einem Zweig mit dem Steuerrad zu kämpfen.

Sie lachte ein wenig. „Es ist genau wie Großvater sagte, kein großer Unterschied zu einem Personenwagen. Noch ein Kilometer, und ich werde in der Fernfahrersprache reden."

„Noch zwei Kilometer, und wir sind zu Hause", sagte Mark trübsinnig. „Mutter, Großvater hat dir gesagt, daß Colonel sterben muß, nicht wahr?"

Mutter tat, als sei ihr drunten auf der Straße etwas im Weg, sie beugte sich vor zur Windschutzscheibe. „Es ist nichts, nur ein Hund, nehme ich an", murmelte sie. Dann schaute sie geradeaus und sagte: „Großvater weiß es nicht genau. Er glaubt es nur, er nimmt es an. Großvater ist nicht Gott, genauso wenig wie du oder ich. Dein Vater und der alte Farmer dachten damals, Colonel würde schon viel früher sterben, und er ist immer noch hier und hat einen Wirbelsturm überlebt. Und schau dir all die Kartoffeln an, die wir ihm bringen."

Mutters Worte waren nur Worte, aber er durfte sie jetzt nicht beunruhigen, wo sie die Straße entlangfuhren, die so schmal war zwischen den aufgetürmten Trümmern vom Wirbelsturm.

„Schau mal, Leitungsmänner!" rief Mark. „Sie bringen die Leitungen wieder in Ordnung."

Mutter saß wieder wie ein Vogel auf der Stange und steuerte nervös über die enge Straße. Mark sagte zu ihr: „Heute morgen hat Colonel die größte Hafermahlzeit seines Lebens gefressen."

Auch das waren nur Worte. Er glaubte seiner zuversichtlich klingenden Stimme nicht und Mutter auch nicht. Aber sie mußten die Straße verlassen und zwischen Großvaters dachlosem Haus und der verschwundenen Scheune einen Weg finden, und das erforderte Mutters ganze Aufmerksamkeit. Jetzt trennte sie nur noch das einzelne Feld von ihrem Zuhause und Colonel.

„Daheim!" sagte Mutter. „Das gibt es noch, und uns gibt es – sogar Colonel. Oh, Mark, müssen wir da nicht dankbarer sein?"

Mark nickte, aber es stimmte nicht – er war nicht dankbar.

DER COLONEL-BAUM

Sie parkten den Lastwagen hinter dem Haus, und Mutter sprang schnell vom hohen Fahrerhäuschen, noch ehe Mark unten war. Sie lief zum Haus, als hätte sie es seit Wochen nicht gesehen. Doch in der Küche blieb sie stehen wie angewurzelt und schaute nur noch. „Kein Wunder, daß Großvater mich zu Hause haben wollte! Welch ein Durcheinander, welch ein entsetzliches Durcheinander! Zwei Tage, und dann sieht es so aus! Da soll ich alles vorbereiten für Vater und für Mama – und finde in der Küche Arbeit für eine Woche vor. Ich sage dir, bevor ich überhaupt etwas tue, baue ich draußen einen Schweinestall für dich und Großvater!"

Mark versuchte ein zerknirschtes Grinsen, aber er hatte keine Zeit für diese Dinge. Er holte den Klauenhammer unter dem Geschirr neben der Spüle hervor. „Hilf mir, das Scheunentor aufzumachen", sagte er. „An die oberen Nägel komme ich nicht heran – mach schnell."

Mutter kam. Mark riß die unteren Nägel heraus, doch Mutter hatte mit den oberen zu kämpfen, und Mark stand ungeduldig daneben. Es dauerte zu lang, und Colonel wieherte keinen Gruß, wie er es immer tat, wenn er Mark kommen hörte.

„Warum um alles in der Welt habt ihr das Tor vernagelt?" wollte Mutter keuchend wissen.

„Damit niemand kommen und Fee holen kann", antwortete Mark kurz.

„Aber Mark, du mußt dich damit abfinden. Früher oder später wird bestimmt jemand kommen, dem Fee gehört und der sie zurückhaben will – es sei denn, ihre Besitzer wären umgekommen."

„Es geht jetzt nicht um Fee, es geht um Colonel." Während er es sagte, ging der letzte Nagel heraus, und er schob das Tor auf.

Colonel war nicht tot, aber er wieherte nicht und wandte auch nicht den Kopf nach Mark. Er lag einfach auf seinen Dreschmaschinenriemen. Mit einem Fuß scharrte er ungeduldig. „Er will hinaus, er will hinaus aus der Scheune", erklärte Mark.

Fee war aufgestanden, aber sie hatte keine Kartoffeln gegessen. Mark stürzte neben ihr in die Box und schob Mutters Tablett außer Sicht unter das Heu. Er zog Fees Futtersack hoch. Vater hatte gesagt, man brauche ihn nicht, aber Mutter sah das besser nicht. Mutter stand neben Colonel. „Warum lassen wir nicht Fee in Colonels Box, wenn er hinaus will? Sie könnte ihr Bein schonen, wenn du die Riemen unter ihr fest machst. Ich glaube nicht, daß Colonel jetzt Fee hinter sich herhumpeln lassen will."

Mark lief in Colonels Box und half, die Riemen zu lösen. Ja, Fee hätte es bequemer, wenn sie sich ausruhen könnte, ohne ihr verletztes Bein zu belasten.

Aber Colonel konnte nicht warten. Allein stolperte er aus der Scheune und ging durch das Zauntor auf die Weide.

Sie schauten ihm nach. „Wahrscheinlich will er allein sein, oder nur mit dir." Mutters Stimme war unsicher.

Großvater hatte es am Morgen gesehen, und jetzt mußte es auch Mutter gesehen haben. Colonel würde sterben.

Mutter ließ ihn die Frage nicht aussprechen. „Mark", sagte sie, „ich weiß, was ich jetzt mache, ich schneide Kartoffeln für Fee. Ich kann es jetzt im Haus nicht aushalten, wo ... Schau, Colonel sieht sich nach dir um. Wenn du mich brauchst, bin ich hier auf dem Laster – rufe nur, und ich komme."

Mark lief zu Colonel. Colonel wandte den Kopf und schaute aus den Augenwinkeln, aber er wartete nicht. Er ging die Weide hinunter.

Mark lief zurück zum Laster. „Ich bleibe bei Colonel. Ich glaube, er will zu seinem Bach. Ich gehe mit ihm, weil er sterben wird. Er hat es mir eben gesagt, als er mich angeschaut hat."

Mutter räusperte sich und legte eine Hand auf Marks Schulter. „Ja, ich glaube, er hat es mir auch gesagt, dort in seiner Box. Aber Tiere wissen es nicht immer – so wenig wie wir. Es könnte sein, daß er nur einen Spaziergang braucht oder im Bach stehen möchte, dorthin geht er. Ein paar Kartoffeln habe ich geschnitten, warum nimmst du sie nicht mit für Colonel?"

Mark stolperte mit der Schüssel davon.

„Mark, ich weiß nicht", rief Mutter, „soll ich mitkommen, oder bist du lieber allein mit ihm?"

Mark dreht sich um. Er wollte ihr danken, aber seine Stimme blieb weg. Endlich krächzte er: „Allein".

„Mark! Colonel ist gefallen!" Sie sprang vom Laster, stürzte fast selbst und kam angelaufen. Sie packte Marks Hand. Er ließ die Schüssel mit den Kartoffeln fallen, und sie rannten zusammen. Mutter und Mark streichelten Colonels lange weiße Wange, während er mit dem Kopf flach auf dem Boden lag. Doch Colonel sah nur Mark an. „Bleib du bei ihm", sagte Mutter. „Ich laufe zurück und hole die Kartoffeln, und du kannst ihm eine nach der andern geben."

Mark schüttelte den Kopf. „Nein, Mutter, wir brauchen die Kartoffeln nicht."

Mutter seufzte. „Ich glaube, ihr braucht mich auch nicht." Sie streichelte Colonel noch einmal und ging davon.

Jetzt waren Mark und Colonel allein – sie waren lange allein. Mark konnte sehen, daß Mutter sie vom Laster her beobachtete. Er erzählte Colonel viele wichtige Dinge, und dann sagte er sie alle noch einmal. Colonel hörte zu und schob seinen Kopf übers Gras, bis es nichts mehr zu sagen gab, nichts mehr zu hören. Dann warnte er Mark mit seinem Auge. Er tat es so plötzlich, so unerwartet, daß Mark rückwärts aus dem Weg springen mußte. Colonel warf sich hoch, zuerst den Kopf und dann seine Vorderbeine, und dann stand er mit einer einzigen großen Bewegung ganz auf. Colonel war auf den Beinen! Er stolperte ein paar Schritte und schaute zurück, ob Mark kam. Mark packte das Ende der Halfterleine, und sofort ging Colonel weiter über die Weide. Er steuerte auf den Bach im Wäldchen zu, Colonel wollte in seinem kühlen Bach stehen.

Es war zu weit. Mark sagte Colonel immer wieder, daß es zu weit war, aber Colonel ging weiter. Sie würden nie dort ankommen, nie den Bach erreichen. Colonel stolperte.

Mark zog verzweifelt an der Leine, und langsam änderte Colonel die Richtung und ging mit ihm auf die Quelle bei den Trompetenbäumen zu. „Die Quelle wispert und flüstert nicht", erklärte Mark leise Colonel, „aber es ist kühl dort im Gras, und du kannst trinken."

Colonel gehorchte, und sie gingen zur nahen Quelle, die an diesem sonnigen Nachmittag im tiefen Schatten der Trompetenbäume lag. Sie gingen sehr langsam, denn da die Quelle so nahe war, schienen sie jetzt alle Zeit der Welt zu haben. Alle Zeit der Welt in der Traurigkeit, die über dem sonnenbeschienenen Lande lag.

Sie kamen zur Quelle. Dort legte sich Colonel in das kühle nasse Gras im Schatten der Trompetenbäume. Er wollte trinken. Er konnte den Kopf nicht heben, doch sein Auge richtete sich auf die Wassertropfen, die vom Rohrende tröpfelten. Mark schätzte die Entfernung mit den Augen. Colonels Kopf war dicht an der Quelle. In der Scheune lag ein Stück von einem alten Schlauch – wenn er es über das Rohr stülpte, konnte er Wasser in Colonels Maul leiten. Er rannte zur Scheune und winkte unterwegs Mutter beruhigend zu.

Der Schlauch war lang genug. Er ließ sich über das Rohrende stülpen und zwischen Colonels Lippen drücken. Colonel trank. Er schluckte das Tropfenrinnsal, das sich um seine Zähne sammelte und in seinen Mund floß. Dann schluckte Colonel noch einmal, spuckte den Schlauch aus, schaute auf zu Mark – und starb. Mark ließ den Schlauch fallen, kniete nieder und küßte Colonel. Er saß im nassen Gras neben seinem Pferd. Keiner war da außer ihnen beiden. Mutter konnte ihn nicht weinen sehen. Selbst wenn sie es könnte, würde er nicht rufen oder winken. Er mußte hier eine kleine Weile sitzen bleiben.

Endlich stand er auf und ging davon, aber nicht zum Laster. Er ging zur Scheune und holte zwei Schaufeln. Als er zurückkam, stand Mutter neben dem Laster und suchte die Weide mit den Augen ab. Er machte ihr mit den Schaufeln ein Zeichen. Mutter kam.

Mark wartete aufrecht wie ein Ladestock, er schulterte seine beiden Schaufeln wie Gewehre. Er sagte: „Colonel ist gestorben. Wir müssen ihn begraben."

„Ja", sagte Mutter. „Wir haben es gewußt, nicht wahr?"

Mark ging neben ihr her wie ein ernster alter Mann. „Du und ich. Wir werden ihn begraben, weil wir ihn beide lieb gehabt haben."

Sie redeten nichts mehr. Sie gingen um Colonel herum, und Mutter beobachtete genau, wie er lag. „Hier unterhalb der Quelle wird es einfacher sein. Der Boden ist weich und sandig, glaube ich." Ihre Stimme war ruhig, leise und fest. „Colonel hat sich einen herrlichen Platz ausgesucht."

„Er wollte zu seinem Bach, aber ich habe ihn hierher geführt, und er ist mitgegangen."

Mutter grub die erste Schaufel voll Erde. Mark trat hinter Colonel und begann ebenfalls zu graben, aber er konnte Colonel noch nicht richtig anschauen. Als er aufsah, hatte sich Mutter herabgebeugt und Colonels Augen geschlossen, und sie schloß seine Lippen über den großen Zähnen.

Dann kam sie mit ihrer Schaufel zu Mark herüber. „Du machst es richtig – und ich habe falsch angefangen. Wenn wir beide hinter ihm graben, seinen ganzen Rücken entlang, dann wird Colonels Gewicht auf der Kante des . . ." sie zögerte, dann sagte sie es: „sein Gewicht auf der Kante des Grabes das einstürzen lassen, und Colonel wird mit dem Sand hinunterrutschen."

Am schwersten ließ sich im Gras graben. Mutter grub, und Mark schüttete die ausgegrabene Erde auf. „Nein, nicht die Rasenstücke auf die Böschung häufen", warnte sie. „Schaufle sie über Colonels Kopf, denn wenn wir tiefer graben, könnte die ganze Böschung über Colonel zusammenstürzen, falls die Wurzeln der Trompetenbäume sie nicht zusammenhalten. Und wir wollen doch, daß Gras auf dem Grab wächst, oder nicht?"

Mark nickte. „Dann können wir zum Schluß ein Kreuz aufstellen", sagte er leise. „Auf der Weide liegen so viele Pfähle – ich werde ein Kreuz machen."

Mutter sah erstaunt auf, doch sie sagte nichts.

Nach dem Rasen ließ sich der feuchte Sand leicht herauswerfen, doch die Feuchtigkeit hielt ihn zusammen, so daß nichts einstürzte. Die Einsturzgefahr wuchs, als das Loch tiefer wurde und sich in die Böschung hinein ausweitete. Sie beobachteten beide aufmerksam die gerade Seite des Grabes an Colonels Rükken — Colonels ganzes Gewicht lag darauf.

Jetzt war das riesige Loch fast tief genug. Mark begann in die Böschung hineinzugraben, doch Mutter blieb Colonel zugewandt.

Der Einsturz kam leise und schnell, wie eine Schlange kommt oder ein Wiesel. Es blieb keine Zeit mehr für einen Warnruf, Mark konnte nur noch Mutters Hand packen und ihr die Böschung hinaufhelfen, wo er gegraben hatte. Selbst dann mußte Mutter noch ein Bein aus dem leise rieselnden Sand zerren, während Mark sie hochzog. Dann waren sie sicher auf dem Gras, und Mutter drehte Mark um und drückte sein Gesicht an sich. Mark riß sich los, um zu schauen. Colonel war mit dem fließenden Sand seitlich in das Loch gerutscht. Mark begann zu weinen.

„Jetzt werden wir das Kreuz brauchen. Kannst du es machen?"

Mark nickte, rieb sich mit den Fäusten die Tränen aus den Augen und begann zu rennen.

„Ich bleibe hier und ruhe mich aus", sagte Mutter. „Das war schwere Arbeit."

Doch als Mark sich nach ihr umdrehte, ruhte Mutter sich nicht aus. Sie grub in die Böschung. Sie wollte, daß die sandige Böschung Colonel unter sich begrub.

Mark beobachtete sie unsicher und wußte nicht, sollte er zurücklaufen und ihr helfen oder weitergehen. In diesem Augenblick rutschte die ganze Böschung hinunter. Colonel war begraben. Ein kleiner Trompetenbaum unten an der Böschung rutschte in dem fließenden Sand hinunter bis mitten auf Colonels Grab. Dort blieb er aufrecht stehen.

„Mark! Mark!" rief Mutter. „Komm und sieh! Ein kleiner Baum ist zu Colonel gekommen."

Mark kam angelaufen. „Der kleine Baum hat sich auf Colonels Grab gepflanzt", sagte Mutter erregt. „Ein lebender kleiner Baum – jetzt brauchen wir kein Kreuz, oder?"

„O nein", sagte Mark. „Ein Kreuz würde nicht wachsen, aber der kleine Baum wird wachsen."

„Dann wird er der Colonel-Baum", sagte Mutter. „Er wird wachsen und Colonels Baum werden."

Mark nickte. Plötzlich mußte er sich auf eines der ausgegrabenen Rasenstücke setzen. Er war so erschöpft, so am Ende. Er konnte nicht einmal Mutter helfen, den Rasen auf das Grab zu legen. Endlich war Mutter damit fertig. Sie hatte das Stück nicht gebraucht, auf dem er saß. Vorsichtig und sehr müde richtete sie sich auf.

Mark stand nicht auf. „Colonel ist gestorben", sagte er, „und Vater hat Fee nicht für mich gekauft. Wenn sie jetzt kommen und Fee fortholen, habe ich nichts mehr." Einen Augenblick lang saß er nur da. Plötzlich heulte er los: „Wie kann ich warten und warten – bis sie kommen und Fee holen?"

Mutter stand still da. Endlich sagte sie: „Ich bin jetzt zu müde zum Denken. Aber es muß einen Ausweg geben. Komm, wir gehen heim und ruhen uns ein bißchen aus. Vielleicht fällt mir etwas ein."

Mark nickte traurig und nahm ihre Hand.

Sie gingen zusammen weg – sie ließen die Schaufeln liegen.

EIN PFERD KAM ANGETRABT

Mutter und Mark wanderten schweigend und traurig zum Haus zurück. Mark fand keine Worte, und Mutter ging einfach geradeaus und schien in tiefe Gedanken versunken. Doch als sie den Hof erreichten, begann sie plötzlich zu laufen – im Haus läutete das Telefon.

„Das Telefon!" schrie Mark. „Die Leitungen stehen wieder. Sie haben die Leitungen auf der Straße nach Stanton repariert."

Mutter rannte durch die Küche mit all ihrem Durcheinander, ohne etwas außer dem Telefon zu sehen. Sie griff nach dem Hörer, und als sie sich meldete, war es nur ein Leitungsmann, der die Verbindung überprüfte. Sie legte auf und überlegte. Plötzlich nahm sie das Telefonbuch und durchblätterte die Seiten. „Jetzt weiß ich, was wir tun – jetzt, wo wir ein Telefon haben", rief sie. „Ich rufe die Funkzentrale an."

Sie fand die Nummer und wählte. Dann erklärte sie einem laut redenden Mann am Telefon, was mit Fee geschehen war, wie sie in der Nacht des Wirbelsturms auf die Farm getrabt war, und daß Colonel jetzt gestorben war.

„Könnten wir nicht eine Rundfunkdurchsage machen?" bat sie. „Könnten wir das nicht gleich telefonisch erledigen, und Sie senden die Durchsage dann in allen Programmen? Wenn dann jemand das Pferd zurückfordert, das uns zugelaufen ist, dann würde er sich jetzt melden – statt daß wir ständig warten und nicht wissen, was geschehen wird?"

Den stummen Telefonhörer am Ohr, wandte sich Mutter an Mark und erklärte hastig: „Es ist mir in dem Augenblick eingefallen, in dem ich das Telefon läuten hörte." Sie schnalzte mit den Fingern. „Einfach so kam ich auf den Gedanken, ich könnte eine Rundfunkdurchsage machen wie in der Nacht des Wirbelsturms, als dein Vater bewußtlos im Krankenhaus lag und ich nicht wußte, was mit dir geschehen war oder was mit dir werden würde."

Aus dem Telefon drangen unvermittelt laute Geräusche. Mutter horchte wieder. Schließlich erklärte sie Mark: „Der Sprecher wird wortwörtlich über den Sender sagen, was ich ihm am

Telefon auftrage, und überall können es die Leute hören. Vielleicht hört es auch Fees Besitzer – wenn er noch am Leben ist –, und dann kommt er, und vielleicht können wir ihn überreden, uns Fee zu verkaufen."

Mark war sprachlos vor Staunen und Freude.

„Sie erledigen jetzt das Technische, und sowie die Nachrichtensendung, die gerade läuft, zu Ende ist, lassen sie mich meine Durchsage machen", erklärte Mutter, damit Mark verstand, warum sie warten mußten.

Endlich krachte und knackte es im Telefon, und Mutter hielt den Hörer so dicht an ihr Ohr, daß es ganz weiß wurde.

„Jetzt ist es soweit", sagte sie mit belegter Stimme. „Was sage ich nur – wie sage ich es?"

Aus dem Hörer lachte die Stimme des Sprechers ermunternd, und Mutter mußte anfangen zu reden. Mark konnte nicht länger dastehen, er rannte ins Wohnzimmer. Dort schaltete er – genau wie Großvater es getan hatte – das Radio an. Jetzt funktionierte es, der Strom war wieder da, die elektrischen Leitungen waren wieder in Ordnung. Mark konnte es der Mutter nicht zurufen – sie redete.

Langsam und deutlich begann der Sprecher Mutters Worte zu wiederholen. Mark, der zwischen dem Radio und der Küche stand, konnte sie beide hören.

„Ein Pferd kam angetrabt, es kam in der Sturmnacht auf unsere Farm", sagte Mutter ins Telefon. „Ein Pferd kam angetrabt", begann der Sprecher.

„Ein Pferd kam angetrabt", wiederholte Mutter, dann hielt sie verwirrt inne. „Das hab ich schon gesagt." Mutter sprach weiter: „Sein Bein wurde im Wirbelsturm schwer verletzt, und jetzt ist es verkrüppelt. Mein Junge hat die Stute gefunden und sie Fee genannt. Colonel heißt – hieß – das Pferd meines Sohnes. Hieß, weil Colonel gestorben ist und wir ihn gerade begraben haben. Jetzt haben wir nur noch Fee, aber sie gehört uns nicht. Wir möchten, daß sie uns gehört, jetzt, wo Colonel nicht mehr da ist. Obwohl sie lahmt, würden wir sie gern kaufen." Mutter zögerte. Dann sagte sie mit fester Stimme: „Ja, wir werden sie zu einem fairen Preis kaufen, weil mein Junge sie jetzt braucht."

Der Sprecher unterbrach sie: „Bitte, beschreiben Sie das Pferd, damit der Eigentümer es erkennt."

„Oh, wie denn?" Mutters Stimme wurde unsicher. „Sie ist jetzt mager und klapprig und erschöpft von ihrer Verletzung, aber sie ist ganz braun bis auf einen weißen Fleck, eine Art Stern, der sich über ihre Stirn zieht. Ein Stern – ja, wie der Stern von Bethlehem immer dargestellt wird, wissen Sie, mit langen Strahlen –."

„Das reicht", unterbrach sie der Sprecher. „Versuchen Sie es nicht weiter, das war sehr gut so. Jetzt nur noch Ihre Adresse, und wer jemals ein Pferd mit einem Stern von Bethlehem besessen hat, weiß Bescheid. Und überall im Land werden wir mit Ihnen und Ihrem Jungen hoffen und warten. Halten Sie uns auf jeden Fall auf dem laufenden."

Mark lief zu Mutter. Mit kurzatmiger, müder Stimme gab Mutter die Adresse an, dann legte sie langsam den Hörer auf, als wäre er schwer wie Blei.

Zusammen gingen sie ins Wohnzimmer, und Mark machte das Radio aus. Jetzt mußte es still sein im Haus, ganz still, damit er alles in sich aufnehmen und darüber nachdenken konnte. Mutter saß neben ihm auf der Couch. Sie nahm Marks Hände in die ihren.

Sie warteten und warteten, bis das unmöglich wurde bei der Stille des Telefons und der Trauer wegen Colonel und der Spannung wegen Fee.

Mark wurde unruhig, zog seine Hand aus Mutters nervösem Griff und sprang auf. „Ich kann nicht mehr stillsitzen, ich muß etwas tun – ich werde Fee bewegen. Ich gehe mit ihr nur den

Weg hin und her, weil ich von dort aus sehen kann, wenn jemand kommt. Und ich kann dich auch hören, wenn du mich rufst, weil jemand am Telefon ist."

„Ja, mach das", sagte Mutter. „Und ich räume auf, während ich auf einen Anruf warte, damit ich nicht hier sitze und schreie: Los, Telefon, läute!" Auch Mutter sprang auf. „An die Arbeit."

Mark lief aus dem Haus. Bevor er in der Scheune die Riemen unter Fee löste, zog er ihr den Futtersack vom Bein. Vater wußte Bescheid, und jetzt wurde der Socken nicht mehr gebraucht – Maden waren gut!

Während er mit Fee beschäftigt war, stieß Mark gegen das Tablett, das er vor Mutter unter dem Heu versteckt hatte. Fee wollte nicht aus der Box, sie schien sich nicht bewegen zu wollen. Mark ließ sie stehen und lief mit Mutters Tablett zu dem Laster und seinen geschnittenen Kartoffeln.

Wie Mark gehofft hatte, lockten die Kartoffeln Fee. Er gab ihr nichts, sondern hielt das Tablett in Brusthöhe vor sich, und sobald er Fee herumgedreht hatte, hoppelte sie hinter ihm her und versuchte mit dem Kopf über seine Schulter an die Kartoffeln auf dem Tablett heranzukommen. So gingen sie den Weg entlang, und Fee fraß Kartoffeln vom Tablett.

Als sie auf dem Rückweg hinter der Scheune hervorkamen, sahen sie auf der Straße ein Auto, das einen Pferdetransporter hinter sich herzog. Es hielt an ihrer Einfahrt. Zwei Männer stiegen aus dem Wagen. Mark blieb bewegungslos stehen. Dann kam Mutter aus dem Haus, und er ging mit Fee zu ihr. Fee versuchte, die letzte Kartoffel vom Tablett zu holen.

Mark und Fee erreichten das Haus zur gleichen Zeit wie die beiden Männer. Es *war* Fees Eigentümer – Fees Eigentümer und ein Tierarzt, den er mitgebracht hatte. Er erklärte es Mutter.

„Ich habe versucht anzurufen, aber Ihr Telefon funktioniert nicht." Unvermittelt drehte er sich nach Fee um. Er betrachtete sie, als könnte er seinen Augen nicht trauen. „Nach drei Tagen ist das alles, was von ihr übrig ist?" fragte er heiser. „Kann ein Pferd durch eine Verletzung so rasch herunterkommen?"

„Wenn sie so schlimm und so infiziert ist, wie diese zu sein scheint, dann ja", sagte der Tierarzt.

„Aber da ist ja nichts mehr als Rippen und Fell und ein Hohlkreuz und eine Wunde voller Maden!" Der Eigentümer beugte sich hinunter und untersuchte die tiefe Wunde. Abrupt erhob er sich, wandte sich ab von Fee.

Mark betrachtete ihn ungläubig. Er wollte Fee überhaupt nicht ansehen. Er liebte sie nicht. Er war nur zornig, weil sie ein verletztes Bein hatte. Er war kein guter Mensch.

Der Eigentümer sagte zum Tierarzt: „Untersuchen Sie sie."

Der Tierarzt brauchte nicht lange dazu, dann richtete auch er sich auf. „Die Sehne ist durchschnitten, das steht fest", sagte er. „Zum Reiten kann man sie nicht mehr gebrauchen, aber vielleicht wollen Sie ihr das Gnadenbrot geben."

„Gnadenbrot!" Der Mann spuckte aus, sein Gesicht war verzerrt.

„Ist Ihnen klar, daß dieses Pferd nur zwei Tage lang bei mir war? Ich hatte sie gerade gekauft. Und was ich für sie bezahlt habe! Und jetzt soll ich dem lahmen Gaul das Gnadenbrot geben?" Er spuckte wieder.

„Ich sage Ihnen das nicht gern", sagte Mutter, „aber man hat uns erklärt, die Maden seien gut. Wir haben versucht, sie mit Verbänden fernzuhalten, aber man hat uns gesagt, an der Luft werde die Wunde besser heilen."

Der Tierarzt zeigte seine Überraschung, aber er erklärte dem Mann: „Sie hat recht. Wenn keine anderen Mittel verfügbar sind, dann helfen Maden. Daran sollten Sie sich nicht stören. Sie halten die Wunde rein und lassen sie heilen. Aber sie können natürlich keine zerschnittene Sehne ersetzen."

Der Mann hörte nicht zu. Er ging die Einfahrt hinunter,

ohne sich umzuschauen. „Bringen Sie das Pferd", rief er über die Schulter zurück, „und laden Sie es auf den Anhänger. Dann erschießen Sie es. Ich will es nicht mehr sehen. Ich werde meiner Tochter ein neues kaufen. Drei Tage – und dann das!"

Der Tierarzt zuckte die Achseln und sah Mutter an. „Ich fürchte, ein Wirbelsturm kümmert sich nicht darum, wieviel das gekostet hat, was er vernichtet."

Mark sah entsetzt dem Mann nach, der zu seinem Wagen ging. Hatte er wirklich ein Gewehr im Auto? Würden sie Fee hier und jetzt, auf der Stelle, erschießen? „Mutter!" ächzte er.

Mit langen Schritten ging Mutter die Einfahrt hinunter, dann blieb sie stehen und rief: „Halt! Gehen Sie nicht weiter – Wir kaufen Fee, so wie sie ist, für den Preis, den Sie mit Anstand fordern. Sie ist hierher gekommen, sie bleibt hier; wenn Sie das Pferd erschießen wollen, gehört es sowieso nicht mehr Ihnen. Sie gehört meinem Jungen – er liebt sie."

Mark riß dem Tierarzt Fees Zügel aus der Hand. „Sie gehört mir", schrie er. „Sie gehört mir – zu mir ist sie gekommen."

Der Mann am Auto wandte sich um und sah ihn an. „In Ordnung, Junge, sie gehört dir, aber nicht für Geld. Ich verkaufe nichts, was ich selbst nicht haben will. Behalte deine Fee – sie gehört dir."

Der Tierarzt trat neben Mark und puffte ihn leicht. „Prima", sagte er. „Vergiß nicht, sie zu bewegen. Und ich komme wieder und kümmere mich um deine Fee, sobald ich ihn los habe."

Mark brachte kein Wort heraus. Es war nicht zu glauben, es war nicht auszuhalten – nicht, wenn man stillstand. „Mutter", flüsterte er, „er hat gesagt, Fee gehört mir. Sie gehört mir, für immer."

Dann mußte er rennen, doch er rannte zum Lastwagen und holte noch mehr Kartoffeln für Fees Tablett. Er ging zum Weg. Fee hoppelte hinter ihm her, ihr Kopf streckte sich über seine Schulter nach dem Tablett. Dann kam Mutter.

Sie gingen und gingen, den Weg hinauf, den Weg hinunter, denn in einem Glück wie diesem konnte man nur gehen. Auch Warten ließ sich nur im Gehen. Als nächstes würde der Tierarzt kommen und sich um Fee kümmern. Doch der Tierarzt wußte genau wie Mutter, daß er kein vollkommenes Pferd brauchte – er brauchte Fee.

Dann würden sie weiter warten, aber dann würde Großvater kommen und Vater und Mama im Krankenwagen bringen. Die große Neuigkeit von Fee würde auf sie warten. Sowie sie in der Einfahrt auftauchten, würde er es ihnen entgegenschreien, damit Vater, Großvater und Mama es schon wußten, bevor sie die Türen des Krankenwagens öffneten.

Bei solchen Gedanken war selbst Gehen nicht genug für Mark. Er mußte rennen. Mutter verstand das. Sie nahm ihm das Tablett mit den Kartoffeln ab und führte Fee den Weg hinunter. Mark lief über die Weide und zur Senke mit dem gestürzten Baum und seiner großen Gabel. Er berührte die Gabel, als er daran vorbeilief, dann rannte er von der Senke ins Wäldchen und in Colonels Bach. Er platschte und spritzte den Bach hinunter, bis er wieder beim Weg herauskam. Er war so schnell gelaufen, daß Mutter mit Fee gerade erst näherkam. Er umarmte und küßte sie, und dann küßte er Fee. Er nahm Mutter das Tablett ab, und dann ging Fee wieder hinter ihm und streckte ihren kauenden Kopf über seine Schulter. Wenn sie das hörten, wenn sie das hörten!

„Fee gehört mir", mußte er in seiner Verzückung Mutter erzählen. Mutter legte ihm den Arm um die Schulter. Und so gingen sie und gingen und gingen.